平成紙つぶて

自由と自由主義を求めて

柴生田晴四
一般社団法人 経済倶楽部理事長／元・東洋経済新報社代表取締役社長

出版文化社

はじめに
——平成という時代

一九八九年一月八日、平成天皇の即位によって平成時代が始まりました。この年はバブルが頂点に達した年で、株式価格は一二月の大納会に三万八九一五円の最高値をつけました。土地価格の高騰と相まって資産格差の拡大が社会問題化。特に住宅取得の困難が深刻化し、地価の抑制を求める声が社会に充満しました。バブルの最後の年になったこの年は、四月に竹下登政権の下で消費税が導入され、日本銀行は三重野康総裁の下で五月から翌年にかけて公定歩合を五回引き上げてバブルの抑制を進めました。しかし、マネーサプライは一九九〇年も一一・七％増え、最優先の政治課題だった土地価格の抑制は遅々として進みませんでした。

一九九〇年から始まるバブル崩壊のきっかけは、三月に大蔵省銀行局の局長通達「土地関連融資の抑制について」（いわゆる総量規制）です。これに加えて地価税の創設、固定資産税の強化、土地取引の届け出制、特別土地保有税の見直し、譲渡所得の課税強化、土地取得金利分の損益通算繰り入れを認めないなど、土地バブルつぶしにあらゆる政策手段が動員されました。こうした直接的な市場介入によってバブルは崩壊し、政策目的は達せられました。しかし、バブル発生のメカニズムを解明し、バブルを生んだ金融制度や土地政策の歪みをただすのではなく、対症療法で強引に目的を達成する政策は、バブル崩壊後の日本経済の正常化を困難にする結果を招いたのです。

バブル崩壊から始まる九〇年代から二〇〇〇年代初頭の日本経済は「失われた二〇年」と呼ばれます。いったい何が失われたのか。その原因は何で、どのようにすべきだったのか。そうした共通理解のないままに、この言葉は独り歩きしています。この二〇年間の特徴はきわめて低い成長です。小泉純一郎内閣時代の「いざなみ景気」は戦後最長の景気拡大になりましたが、実質GDP成長率は一%を超えることができず、二〇一二年以降のアベノミクスもその域を脱していません。超金融緩和による円安と株高は「いざなみ景気」の時代を上回っていますが、これは日本銀行が大量のマネー供給を行う一方で、市場から国債やETFを大量に買い上げているからです。実体経済の低成長が続いているという意味では、平成という時代は「失われた三〇年」そのものだといえるでしょう。

平成時代を象徴する言葉に、「格差」と「デフレ」があります。日本における貧富の格差の拡大と中産階級の崩壊については、貧困の問題とともにメディアでは通説として語られることが一般化しています。例えば、橘木俊詔氏は九八年の著書『日本の経済格差』の中で、ジニ係数を用いて、世帯単位の所得格差が拡大し、貧富の格差が増大、総中流社会が崩れていると論じました。これに対し、大竹文雄氏は、ジニ係数の上昇は、もっぱら高齢化や単身者世帯の増加など人口構成の変化による現象で、このデータだけでは貧富の格差が拡大していると結論づけることはできないと指摘しています。しかし、日本における貧富の格差の増大と中流の崩壊は、様々な場面で自明の問題として語られています。

また、小泉内閣の進めた構造改革、とりわけ規制改革が、非正規雇用の拡大を通じて若者の貧困化をもたらしたという見解も自明のものとして論じられています。しかし、この議論にも多くの点で事実誤認が含まれています。そもそも大量の非正規雇用の原因となったのは、九〇年代後半の就職氷河期でした。その最大の被害者は団塊ジュニア世代です。少子化の歯止めになるはずだったこの世代に、経済的理由から結婚や出産をあきらめざるを得ない人たちが多かったことが、その後の少子化を加速させることになりました。

そして小泉改革の結果、所得格差が拡大したという議論のもう一つの誤りは、所得格差を示すジニ係数の国際比較です。日本の格差の拡大を指摘するためにジニ係数を用いて小泉改革の行われた二〇〇〇年代の中ごろからジニ係数が急激に上昇し、中進諸国並みの高さになったことを捉えて、これがいわゆる構造改革の悪しき結果であるとする議論がいまだに独り歩きしています。しかし、こうした議論の元になっている国際比較に使われている日本のジニ係数には、高齢者の所得に年金収入が含まれていないという欠陥があります。これを修正したジニ係数では、日本はイギリスとドイツの間に位置しており、先進国の中で非常に格差が大きいとは言えません。データの元になる統計の内容を確認せずに安易な国際比較を行って自分に都合のよい結論を組み立てる議論には注意が必要です。

「失われた二〇年」、あるいは三〇年、すなわち平成の時代を貫くもう一つの象徴的なテーマは「デフレ」です。安倍政権の経済政策の柱は「デフレからの脱却」ですが、これは九七、九八年以降の日本経済が「デフレ」に陥っていることを前提として組み立てられています。「デフレ」脱却を実現するために行われている超金融緩和こそが、アベノミクスの要なのです。しかし、この三〇年間、あるいは直近の二〇年間の日本は、果たして「デフレ」だったのでしょうか。二〇〇〇年から二〇〇七年にかけての日本経済は、その時点で戦後最長の景気拡大を実現し、実質GDPは一割以上の成長を実現しています。

超金融緩和政策を打ち出したころから円安株高が進行し、アベノミクスは大きな成果を上げたと言われます。しかし、「デフレ」脱却のために掲げた二%のインフレ目標には依然として遥かに届いていません。安倍政権は有効求人倍率の改善など雇用環境の改善をアベノミクスの成果として胸を張っていますが、失業率や有効求人倍率の改善は、民主党政権時代の二〇〇九年初めから始まっており、アベノミクスによって起きたことではありません。現政権が自らの成果を強調するために、全てを自分の手柄にするのは、ある意味で当然の行為かも知れませんが、それを安易に繰り返すメディアに惑わされないことが必要でしょう。

平成の時代は、戦後の復興から世界第二位の経済大国に上りつめた日本が、東西冷戦の終焉とグローバル化の進展、そしてデジタテル革命とインターネットの普及などによって産業と社会が大きく変容する時代にいかに適応していくのかが試された時代でした。八〇年代までの成功体験を捨て、産業政策や経営の在り方を、世界の新しい潮流に耐えられるものにどのように作り直していくか。失われた三〇年という言葉は、過去の成功体験にしがみついて、そうした新しい変化への対応を怠ってきたことにこそ向けられるべきでしょう。

本書は一九九六年から二〇一九年までの平成期二四年間に書き綴ったコラムをまとめたものです。

バブル崩壊後、一時的な回復を見せた日本経済は、不十分な不良債権処理の咎めが表面化して金融危機に見舞われ、その後長期にわたる停滞期を余儀なくされます。九五年一二月から「週刊東洋経済」編集長を務めて以降は、現場の記者として記事を書くよりも管理業務が主の仕事をするようになりましたが、一方で自らの思いを自由にコラムとして書き記す機会が増えていきました。最初の二本は、編集長時代の経団連の広報誌からの依頼によるものです。東洋経済新報社の社長に選任されてからは、理事を務めた日本雑誌協会の協会報に年頭随想を、また業界紙「新文化」からの依頼で連載コラムを五回執筆しました。そのほか、やはり理事を務めていた出版健康保険組合の月刊誌「すこやか」からの依頼で執筆した年頭所感は、いわば自らの「死に処する心構え」を書き記したもので、少なからぬ組合員の方々から感想を寄せられるという経験をしました。このほか石橋湛山全集の再刊に際して刊行された補巻（第一六巻）の序文は、自分なりの湛山観を披瀝したものです。社長退任後は、経済倶楽部理事長として、毎週金曜日に講演会を主宰する傍ら、「経済倶楽部講演録」（月刊）にコラム「談話室」と編集後記を執筆しています。また理事を務める石橋湛山記念財団の発行する「自由思想」にも巻頭随想を二回執筆しました。

これらのコラムは、いずれも社会人としての人生を過ごしてきた東洋経済新報社の創業以来の理念である自由と自由主義をもって、平成の困難な世相を打つ紙つぶてたらんとして書いた文章です。

令和元年一〇月　　　　柴生田 晴四

目次

DATE
SCENE

一九九六年

公私混同

今は結婚退社をしてしまいましたが、一部上場企業の役員秘書をしていた女性がいました。ある時、何かの折に、夏休みの前になると行楽のための切符を手配するのがとても大変だと言う話になりました。いかに一部上場の企業であっても、行楽シーズンのピークともなるとコネを使って新幹線の切符をとるのは難しいので、会長や社長の一家の切符を確保するために、電話にかかりきりになるのだとか。それでも希望の列車がとれるとは限らないので、その季節がやってくると、うまくいくまでは、落ち着かない日々がつづくのだと言うのです。

「待てよ、それは社長のプライベートな旅行の手配だろう。それは公私混同そのもののじゃないか」と驚いてはみたものの、それが毎年繰り返される、当たり前の年中行事で、相手が経営のトップともなると、一秘書課員が文句を言えるはずもありません。

それが気になっていて、その後に仕事を通じて知り合った秘書の方々に、機会を見つけては、そういうことが「常識」として行われているのかどうか、質問をぶつけてみました。やはりというか、半数を超える一流企業で、こうした公私混同が日常化しているようです。

日本の企業では、なぜ老害がなくならないのか。社長の権力が強大で、株主を始めとしたチェック機能が働かないためだということが、よく指摘されます。それも確かに一つの理由には違いありません。しかし、私は、トップの公私混同による「濡れ落ち葉化」こそ、老害が蔓延する大きな原因であるように思えてなりません。

会社のために全身全霊を捧げるのはトップである以上当然である、と大多数の日本人は考えているかもしれません。しかし、たとえ社長であっても、企業人であると同時に、社会人であり、家庭人でもあります。何よりもまず会社人間であることを日本の企業社会は要求してきた面がありますが、それにはなんの正当性もないどころか、トップ自身の個人としての自立を妨げ、老害を招くことで企業の健全性を損なっているのです。

企業が社会や家庭に優先する存在であると知らず知らずのうちに信じて行動してしまった結果が、現在の多くの社会問題や家庭問題を引き起こす結果になっていることに、やっと日本人も気づき始めています。

そして、企業人としての存在が、社会人、家庭人としての存在を呑みこんでしまったとき、公私混同も日常化します。個人の家庭を会社の業務に持ち込むと言う非常識は、実は社会なり家庭を個人として大切にしていない裏返しでもあるのです。

公私混同が日常化してしまった人にとって、役員を外れ、会社を離れたときに、個人として家庭なり社会と向き合うことは非常に難しいのではないでしょうか。

社用車で送り迎えされ、日常のこまごまとした手配は全て秘書任せでは、一人の個人に戻った時に、自分だけで生活する能力を欠くのは当然です。しかも、全生活を社業に捧げて来れば、会社を離れたときに何をして暮らせばいいのか、路頭に迷うのは目に見えています。だからこそ大企業のトップに上り詰めた人ほど、いつまでも会社にしがみつく人が多いのではないでしょうか。

本当は、個人として社会や家庭と向き合っていない人に、社会を曇りのない眼で見つめることなど期待できません。健全な個人の自立がなければ、健全な社会が形作られるはずもないのです。

（『経済広報』八月号）

コネ社会の不効率

少し前のことになりますが、某紙に建設会社で働く縁故採用の女性社員のあきれた行状が紹介されたことがあります。建設業界は請負という仕事の性格上、どうしても顧客からの無理難題を、将来の仕事の受注のために受け入れざるを得ないということは、取材の折によく聞かされたことがあります。建設業界だけではありません。大手広告会社に顧客企業の関係者の子弟のコネ入社が多く、それが企業としての実力の低下を招いているのではないか、との指摘もよく聞きます。

昨今の就職難もあって、表向きの就職活動とは別に、あらゆるつてを頼ってコネ探しに走る学生も多いようです。某有名私大の就職部長も、真面目に勉学に励むよりコネ探しの方が大事だと思いこんでいる学生が少なくないと嘆いていました。

確かに縁故募集には、人となりについての一定の保証が得られる点ではそれなりの合理性があります。しかし、本来の人物評価とは別の目的が入ってくると、問題は人事採用と付随的な効果とのどちらを優先するかという選択になります。この場合、人間にかかるコストよりも、付随的な効果、例えば工事の円滑な受注の方が大事だという選択を企業はしたことになります。しかし、そこまで付随的な効果を厳密に計算している企業はどこにもないでしょう。単に社長のお声掛かりだからといった、社内事情の方が多いのではないでしょうか。

しかし、実は企業にとって人間ほど大切な資産はありません。社員が一騎当千であるか、コネを鼻にかけてろくに仕事をしないかでは、直接的な仕事への貢献に止まらず、周囲の社員のモラールに与える影響の違いは計りしれないものがあります。その意味では、人の採用でコネが横行しているような企業は人件費のコストパフォーマンスが極めて悪い、そして人的資産の面で不良資産を抱えた会社だということになります。

コネには、推薦した人間の責任が問われるという点で一定の歯止めもありますが、取引先や監督官庁からの天下りの場合には、泣き寝入りするしかないから、より罪が重いことになります。

ここで注意しなければならないのは、道義的な公平の原則が社会の公器としての企業に求められているといった次元の問題はさておき、仕事の受発注や人事の効率化の観点から考えて、問題があるということです。右肩上がりの時代が終わり、グローバル化の進展で世界的な大競争時代を迎え、企業経営にとって本当のコストとは何かをより真剣に考えなければならない時代がきています。

このことは国の財政についても同じです。公共事業の効率化は避けて通れません。財政赤字が深刻な事態に陥っていることは誰の目にも明らかなのに、天下りを受け入れさえすれば、受注は安泰だと考えているような会社に未来はありません。

今まで通りのやり方が通用しなくなるもう一つの理由は、社会の透明性が否応なく高まる方向にあるからです。あらゆる抵抗にも関わらず情報公開は時代の流れになっています。知りたいことが瞬時に引き出せる情報化社会がそこまで来ているのに、閉鎖社会のコネがいつまでも生き残れるはずはありません。

もっとも人と人とのコネクションの重要性が失われるわけではありません。いわゆる優先的地位を利用した隠微な関係ではなく、自立した個人同士の無形の財産としてのコネクションの重要性は、情報化社会ではより大切なものになるはずです。

（『経済広報』一一月号）

宗教曲――祈りの音楽

宗教音楽を、どのように演奏したら良いのでしょうか。

少なくとも、ルネサンス、そしてバロックまでのヨーロッパの宗教音楽は、主に宗教的な行事の際に演奏された典礼音楽でした。それは、観客のために聞かせる音楽ではなく、そこに参加する会衆が、ともに祈りを捧げるための音楽だったのです。したがって、演奏者とそこに集う会衆は、ともに祈りを捧げるという意味では同一の立場にあることになります。たとえば、ミサ曲の「主よ、哀れみたまえ」という言葉は、聴衆に聞かせる言葉ではなく、すべての参加者の神への呼びかけなのです。宗教曲とは、すべからく、自らの祈りの音楽にほかなりません。

ミサ曲の中でも、「キリエ」、「サンクトゥス」「ベネディクトゥス」「アニュス・デイ」は、歌詞そのものが直接の祈りの言葉です。だから、他者に聞かせるために上手に歌おうとすれば、音楽の真実味はたちどころに損なわれてしまいます。特に、それが最もはっきりと現れてくるのが「ベネディクトゥス」でしょう。「罪人なるわれらを哀れみたまえ」という呼びかけは、救いがたい卑小な存在に過ぎない人間が、自分を生み出し、自分よりもはるかに大きな存在である神に対したときの、謙虚な祈りの言葉です。だからこそ、すべてのミサ曲において、「ベネディクトゥス」は、最もひそやかで美しい音楽として書かれているのです。朗々とした詠唱ではなく、静かな、そして切々とした訴えの音楽なのです。

ところで、宗教曲の演奏に関して、しばしば、「キリスト教徒でない人間が、どうしてキリスト教の祈りの音楽を歌えるのか」という疑問を耳にすることがあります。それが素晴らしい音楽だから、と言ってしまうこともできます。しかし、祈りという視点に立ったときに、それだけでは真実味に欠けるのは否めません。この問いへ答えるには、自らが宗教をどう捉えるかという問題に立ち返ることが必要になります。

そもそも宗教とは何なのか。日本人は宗教を持たない人が多いとか、宗教に対して無節操であるといった評価があります。確かに、宗教活動に熱心でない人が多いことは事実でしょう。しかし、だからと言って、宗教心がないわけではありません。特定の宗教の信者ではないが、あらゆる宗教に対して基本的に寛容であると同時に敬意を払っている人が多い。神社があれば参拝し、寺があれば手を合わせる。宗教が深刻な争いを引き起こしてきた人類の歴史を考えるとき、こうした寛容さは、むしろ美徳と考えるべきではないでしょうか。

日本人にとって、最も古くからあり、もっとも身近な宗教場といえば神社です。神社には「やおよろずの神」が祭られています。その神体は、大きな山であったり、大きな木であったり、深い森であったりします。そこに人格化された伝説の神が加わり、さらに実在の人物が神格化されて加わっていきました。しかし、そのもとになっているのは、人間の力を超えた存在に対する素朴な畏敬の念です。地球上で人間がちっぽけな存在に過ぎなかった時代には、そうした自然の持つ大きな力に対する畏敬の念は、今よりも遥かに大きかったはずです。そうした原始宗教は文明の発展とともに次第に消滅していきました。他者に対して不寛容で攻撃的な宗教が人々を絡め取っていったのです。しかし、大いなる存在に対する畏敬の念という宗教の本質は、ほとんどの宗教に共通しています。

（コンサートのプログラムノートより）

二〇〇八年

文化遺産の継承

日本という国は文化を大切にしない国だとつくづく思うことがあります。

文化は先人たちの長い努力の結晶であり、現代人には、その遺産を維持発展させ、次代に伝えていく義務があります。文字・活字文化は国の文化の水準を規定するものであり、固有の言語こそが国を国たらしめる根幹なのです。言語を共有することでわれわれは、偉大な先人たちの遺産に直接触れることができます。

戦後の国語改革は、文化遺産の継承に大きなハンディを負わせました。何よりも子供たちに、本物の文化遺産に直接触れ、理解する能力を身につけさせたいものです。

（『雑誌協会報』一月号）

二〇〇九年

不況期こその空元気？

急激な景気後退の真っ只中で新年を迎えることになりました。

世の中では、時計を巻き戻したかのような「ばらまき」待望論が渦巻いています。四〇年近く経済と企業をウォッチしてきた経験からすると、こうしたことを求める企業や産業は間違いなく衰退し、滅亡への道をたどります。

不況期のイノベーションが経済発展の原動力であると喝破したのはシュンペーターですが、企業は不況によって鍛えられ、自らを革新することで、次の飛躍を準備することができる、と新年にあたって自らに言い聞かせています。

いい意味でアウトローである雑誌は、こういう時にこそ元気を出さなくては。

（『雑誌協会報』一月号）

二〇一〇年

他力本願では生き残れない

『天は自ら助くるものを助く』と言った福翁は、その言葉に日本人の目指すべき姿を凝縮したのでした。しかし、日本は彼の思いとは正反対の方向を向いているようです。カネが天から降ってくるような政策は個人の努力をスポイルし、国を破綻に導くことになるでしょう。唯一の救いは国民の多くがそれを望んでいないという事実です。出版業も売れない現状を嘆くのではなく、原点に帰って、これからの時代に何がしたいのか、何ができるのか、何が求められているか、問い続けることが重要なのだと思います。

今は百年に一度の危機ではなく、百年に一度の変革の時です。変革を生き抜くために、自らの才覚で未来を見据えることが必要です。なけなしの智恵を絞って準備を急がなくては、と気持ちを新たにしています。

（『雑誌協会報』一月号）

学問国家のすすめ

中国を始めとした新興国の勃興をよそに停滞する日本がどうなっていくのでしょうか。

政治の混迷、経済の停滞を反映して、日本人はどうも最近、うつむき勝ちになり、内向きの議論ばかりしています。特にマスコミには相変わらず悲観的かつ自虐的な論調が満ち満ちているように思われます。

しかし、日本は依然として世界有数の先進国であり、豊かな自然と整備された社会基盤に支えられた住みよい国の一つです。少子高齢化はいわば豊かさの帰結です。人口減少のもとで量的な成長を目指すことはそもそも無理だと考えるべきでしょう。

地球環境問題は、グローバルな「成長の限界」を人類に突きつけています。しかし、相対的に貧しい新興国は、当然成長を自らの権利として主張します。先進国が問われているのは、量から質への転換によって、新興国の発展の余地を残しながら、地球環境問題を解決に導くことでしょう。

という文脈で日本の将来像を描くと、より付加価値の高い産業へどうシフトしていくのか、といった議論になることが多い。しかし、それでは、産業界はともかく、一般の国民の共感を呼ぶ国家目標にはなり得ないように思われます。

日本がより質の高い社会を目指すのであれば、何よりも必要なのは、国民一人一人の資質をより高めることです。まず、根本的な人間としての能力を高めることです。物事を理解し、理にかなった考え方ができること、豊かで適切な表現力を身につけること、そうした魅力のある人間を増やして行くことです。

殖産興業の時代には、「技術立国」こそが目標にふさわしかったかもしれません。しかし、産業革命以来の近代文明が危機に瀕している現在、成熟した先進国が目指すのは、物質的な量の追求ではなく、精神的な質の豊かさでなければなりません。それを実現するためには、国民一人一人の資質を高めていくしかないのです。

そのためには、成長期の子供に徹底的に学問に取り組ませることです。たくさんの歯ごたえのある書物に向き合い、頭脳と精神を徹底的に鍛えることです。人間は放っておけば安逸に流れる生き物です。大人たちが若い人たちに迎合せず、国を挙げて学問のすすめに取り組む社会を目指すことが日本の未来を開くのではないでしょうか。

(『新文化』一一月)

内よりも外に眼を向けよう

「私たちは乞食ではない」

かつて世界の最貧国のひとつだったバングラデシュの高官の言葉です。彼は日本からの援助に対して無償援助ではなく低利の円借款を希望してこのように言明したのです。その矜持が現在のバングラデシュの発展の原動力になっているのではないでしょうか。

戦後、経済発展を遂げた日本は援助をする側に仲間入りしましたが、無償供与が少なく、円借款が中心だった日本の援助のあり方に対して、内外から多くの批判がありました。しかし、援助の本質は自立を助けることにあります。バングラデシュの高官の発言はまさにその本質を言い当てていました。

当時の批判の多くは、欧米先進国の援助の多くが無償供与中心だったこととの比較に基づいていました。しかし、欧米の援助の中身には武器援助が含まれていましたし、それ以外の生活必需品などの無償供与も、ある意味で金持ち国による「施し」でしかありませんでした。「施し」は、受け取るもののプライドを傷つけ、自立への妨げになります。

その点、相手国の産業の発展を助けることを目的とした日本の円借款は、まさに相手国の自立を助ける役割を果たしました。円借款と民間投資と貿易（日本への輸出）を組み合わせた日本の援助は、アジア諸国の産業の発展と自立に大きな貢献を果たしたといえるでしょう。このことは、欧米先進国が援助をしてきた他地域に比べてアジアのパフォーマンスが高かったことにも現れています。

戦後の日本は海外との貿易によって発展してきました。「日本は輸出立国」といった枕詞が相変わらず使われています。それをいうなら貿易立国というべきだし、今は投資立国へのシフトが求められています。

貿易も投資も相手があって初めて成り立ちます。一方的に利益を得ることでは成り立ちません。黒字国には黒字国の責任があるのです。

経済の混迷と経済的地位の低下を背景に援助の水準を切り下げる動きが強まっています。しかし、途上国の発展を助けることは、将来の日本の市場を拡大させる重要な基盤造りなのです。援助の切り捨ては、日本の将来を閉ざす行為に他なりません。世界には飢えに苦しみ、最低限の教育さえ受けられない子供たちがたくさん存在します。内向きのばらまきよりも、より深刻な状態にある世界の人々を助けることの方が遥かに日本の国益につながるのです。

（『新文化』一二月）

二〇一一年

前途は洋々たり

日本には国の未来を悲観する論調が溢れています。それは成長できないことを悲観的に捉えているからです。

重要なのは国全体の量的拡大ではなく、一人当たりの所得水準です。日本のＧＤＰが中国に抜かれることを大騒ぎするのは愚かなことです。

カネも資源もない戦後の日本が成長できたのは勤勉で能力の高い国民がいたからです。今はカネなら十分にありますが、勤勉と能力は、いささか心許なくなってきました。そこさえ鍛え直し、余ったおカネを国債などに浪費せずに、成長する新興国にしっかり投資していけば、将来は心配ないのです。

（『雑誌協会報』一月号）

人間らしく生きるということ

残された日々をいかに悔いなく生きるか、新年の初めは、その思いを新たにする絶好の機会です。新年に死に関わる話はふさわしくないと感じられる方がいらっしゃるかもしれません。そうした方々には大変申し訳ないのですが、私はいずれ死すべき者として、つねに人生の最後と向き合っておくことこそが、人生をよりよく生きる秘訣であると常々考えているのです。

池波正太郎は、その小説の中で、人間は生まれた瞬間から死へ向かって歩き始めるのだという主旨のことを述べています。つねに死と向き合っていたかつての武士にとって、それは遠い未来のことではありませんでした。

しかし、長寿社会となった日本において、われわれは余りに死から遠いところで生きているのではないでしょうか。核家族化によって、子供のころから身近に死と向き合う機会が減ってしまったということもあるでしょう。しかし、死は全ての人に平等に訪れる人間にとって避けることのできない運命なのです。死と正面から向き合えない人間は、よりよく生きることもできないと私は考えています。死を忌み嫌う人間は、人生と本当に向き合うことはできないのではないでしょうか。

私の名前には「四」という言葉が含まれています。日本では「四」は「死」に通じる縁起の悪い言葉と見なされており、病室などの番号から除かれていたりします。子供の頃には名前のことでからかいの対象になったこともあります。

私の父はもともと言語学を学び文学の道に進んだ人間でしたが、縁起をかつぐとか、迷信とか、およそ理にかなわないことが我慢のならない人間でした。私も長ずるに従って自分の中にそうした物の見方が色濃く投影されていると感ずるようになりました。

その父は一九九一年に、八七歳でこの世を去りました。最晩年には多発性脳梗塞を患い、次第に記憶もおぼつかなくなっていきました。あるとき、会合からの帰り道で同行した母とはぐれて行方不明になり、家族総出で探し回ったことがあります。みつからずに途方に暮れていた時に、見知らぬ方から電話がありました。名前だけは自分で書くことができたので、その方が電話帳で調べて連絡をしてくれたのでした。最後は母や私のことも認識できなくなりました。大変明晰な人だっただけに、そのように衰えていくのを見守ることは、大変辛く、耐え難いことでした。そして、私は、改めて人間が避けることのできない「死」とどう向き合うかについて深く考えるようになったのです。

父の死から十年経って母が亡くなった後、私は妻と相談して日本尊厳死協会に登録することにしました。いま、私は単に長命であることは決して人間にとって幸福ではないと思っています。人間らしく生きるのでなければ、生きている価値はないし、単に息をしているだけの生は生ではないと思っています。それは人間の尊厳を傷つけるものでしかないと思います。

医療は人間らしく生きる為の術であるべきです。南木佳士の『阿弥陀堂だより』という小説に、いっさいの治療を拒んで従容として死を迎える恩師が登場します。願わくば、私もそうして生を全うしたいと思うのです。そのことが、まだ生きて人間らしい生を送るために医療を必要としている人々のためのものであるべき医療制度を守るために欠かせなくなっているのではないでしょうか。

(『すこやか』一月号)

現代を照らす石橋湛山の論説――石橋湛山全集補巻の刊行に当たって

混迷の時代にこそ輝きを増す巨星、それが石橋湛山です。

一九七〇年一〇月から一年一〇カ月を費やした『石橋湛山全集』全一五巻の刊行から四〇年になります。近代日本の発展期から、第二次世界大戦の戦前、戦中、戦後の苦難の時期を通じて、湛山は自由で民主的な体制と国際協調こそが日本の発展の基礎であるとの信念を貫き通し、自由主義経済への揺るぎない信頼と、現実を見据えて物事を判断する曇りのない透徹した眼で論陣を張り続けました。だからこそ日清・日露戦争の勝利に酔って、列強の後を追って領土と対外権益の拡張にのめりこんでいく国論に真っ向から異を唱えることができたのです。

一九四五年八月の敗戦の直後に、焦土の中で呆然自失だった日本人に向けて、湛山が「更正日本の門出は洋々たり」、と呼びかけてから六五年が経ちました。

戦後の日本は湛山が予想した通り、めざましい発展を遂げ、世界有数の経済大国にのしあがりました。しかし、一九九〇年のバブル崩壊以降の「失われた二〇年」を経て、現在の日本は深い混迷の中にあります。過去の成功体験から抜け出せず、めざすべき方向を見失った日本は、いわば第二の敗戦に直面しているといえるかもしれません。いまこそ日本の生きる道を、原点に戻って見つめ直し、新たな出発に踏み出さなければなりません。それは真の意味での理にかなった国益を追求することにほかなりませんが、一方で、理にかなわぬ思い込みや既得権益を捨て去ることが必要です。

グローバル化の進展と新興国の経済発展によって、世界は新たなステージを迎えています。地球環境問題や資源の制約など、今後の世界は新たな課題に直面しています。一体化する世界経済がこうした困難を共有し、困難に立ち向かうためには、互恵の精神に基づく国際協調が不可欠です。軍事力による覇権ではなく、ともに成長発展することを前提とした相互協力こそが、世界経済を安定と発展に導くでしょう。戦後、病を得て首相の座を退いた湛山が、共産中国を国際社会に復帰させることに、人生最後の情熱を傾けたのも、それが世界の安定と発展に不可欠であることを見通していたからに違いありません。

混迷する日本の進むべき道を選択することに止まらず、勃興する新興国や停滞に直面する欧米先進国を含めた全ての人たちにとって、グローバル化の進展による世界経済の発展を見通して発言し続けた湛山の四〇年にわたる言論活動と二〇年余の政治活動の示した足跡は、貴重な遺産であり、有用な教科書となるでしょう。幸い本全集の刊行を機に経済学および経済学史、政治史、外交史、思想史等の各分野において続々と研究成果が現れ、湛山はいまや学界の共有財産としての位置を占めるに至っています。また、湛山の論説は読書界においても、様々な形の啓蒙書となっています。

東洋経済新報社は二〇一〇年の創業一一五周年を機に、混迷する時代の指針として『石橋湛山全集』を復刊することにいたしました。この復刊に際しては、前回の刊行には含まれていなかった、青年期の習作、大正期の文学・社会・思想誌における評論、昭和期以降の婦人誌、新聞等に発表された論文、戦後の政治活動の重要な政策提言、演説原稿、書簡などを集めた補巻を、第一六巻として刊行することにいたしました。これらの多くは一般紙誌の読者を意識して、大変分かりやすい、しかも論旨の明解な好論文であり、湛山の新たな相貌と魅力に出会えることと確信しております。

なお、補完の編集に当たっては、前回の編纂方針を踏襲することとし、小社内に編纂委員会を設けて調査、編集、注解等の作業を行いました。実際の編纂作業のほとんどは同委員会のメンバーで小社OBの山口正、中川真一郎両氏にお願いしました。編纂に当たっては、社外の多くの専門家にご教示を頂き、特に石橋省三・石橋湛山記念財団理事長ならびに同財団機関誌『自由思想』編集担当の小平協氏をはじめとする関係各位に多大なご援助を頂きました。深く感謝いたします。

（『石橋湛山全集』第一六巻序文）

主権在民は実現しているか

政治の混迷と貧困を嘆く声が高まっています。世論調査の結果を見ても、多くの国民が政治に民意が反映されていないと感じています。

民主主義国家においては、政治の主役は国民であり、政治は主権者である国民の付託に基づいて行われます。国民の付託は具体的には選挙権の行使によって行われます。その意味では、現在の政権を選択したのは、国民自身であり、その結果の責任は国民自身が負わなければならないことになります。

そこで問題になるのは、選挙制度が民意を反映するものになっているのかどうかです。憲法が保証する参政権は、一人一人の国民に平等に付与されたものであり、選挙制度はその憲法の精神を忠実に実現しようとするものでなければなりません。もし、この根本が満たされていなければ、健全な民主主義国家であるとは到底いえないでしょう。

しかるに、国政選挙における一票の格差は、昨年の参院選では最大五倍に達しました。すなわち、鳥取の一票に対して東京の一票は〇・二票の価値しかなかったのです。

こうした状況を受けて提訴された訴訟において、複数の裁判所が「違憲」ないしは「違憲状態」との判断を示しましたが、「選挙無効」の判決は出ませんでした。違憲状態の打開は「国会の裁量」に委ねられたのです。しかし、「違憲状態」の国会に政治が委ねられている現状で、われわれは民意を反映した政治を期待できるのでしょうか。違憲状態を放置して現在の状況を作り出したのは、まさしく国会の怠慢だからです。「違憲状態」によって選ばれた議員に、「違憲状態」の解消によって彼らが不利になるような解決策を期待するのは間違いです。そもそも「国会の裁量」によって問題が解決するのであれば、裁判所に違憲審査権を付与する必要などありません。裁判所は違憲状態と判断するなら即座に選挙のやり直しを命ずるべきです。

裁判官は評論家ではないのです。違憲審査は国民の「法の下における平等」を守る神聖な責務であり、「違憲状態」といいながら、選挙のやり直しを命じないのは責任の放棄に他なりません。それによって起こる政治の混乱の責任は、まさにその状態を放置してきた政治家が負うべきなのです。

日本国民は世界に先駆けた「普通選挙」を、国民運動を通じて獲得した歴史を持っています。政治の正常化は、政治家の怠慢と裁判官の責任放棄を厳しく追求することから始めるしかありません。

（『新文化』一月）

個としての自立が未来を開く

「健全なる経済社会は健全なる個人の発達に待たざるべからず」

これは一八九五年に創刊された『東洋経済新報』（のちに『週刊東洋経済』に改題）の発刊の辞の一節です。

明治以来の近代化は、欧米先進国に追いつき追い越すことを目標に進みました。帝国主義的な拡張主義が挫折した後、民主主義体制の下で日本は世界有数の先進国の仲間入りを果たしました。一九九〇年以降の「失われた二〇年」は、新たな目標を見いだせなかったからだとする説がもっぱらです。例えば、『坂の上の雲』はそうした文脈で受け止められているように思えます。しかし、果たして本当にそうなのでしょうか。

民主主義体制は、健全で自立した個人の存在がなければ衆愚政治に堕し、強いリーダーへの渇望が、やがては独裁体制を呼び込むことになります。それがナチスドイツや日本の軍国主義の教訓ではないでしょうか。

自立した個人とは、自ら考え、自らの責任で行動する人間のことです。市場経済が高いパフォーマンスを達成するためには、多様でかつ自立した個としての経済主体による経済合理性に基づいた行動が不可欠なのです。

人間の能力はきわめて多様です。一人一人の個性を尊重し、伸ばすことでしか個人の健全な発達は望めません。小学生の駈けっこで同時にゴールさせるような教育は、子供をスポイルするだけでなく、勉強は苦手でも体育は得意な子の芽を摘むことになります。グローバル化の進展により、競争は世界中で行われてそれが新興国の成長を可能にしています。その中で、より高い能力を涵養することでしか日本を先進国に止めることはできません。

国の進むべき道を、政府や役人に、あるいは政治家に委ね、頼ろうとすることは、もはや存在しない『坂の上の雲』を追い続ける行為でしかありません。五木寛之氏によれば、司馬遼太郎氏自身は坂の上には何もないということを雲と表現したのに、と洩らしていたそうです。

先進国の仲間入りを果たした時点で、日本人は自らの創意で新たな自らの未来を構想し、自らの力で未来を切り開かなくてはならなくなったのです。過去の既成概念や既得権益に決別し、自立して創造力を発揮できる人間を育てなくてはなりません。

（『新文化』三月）

新たな人間復興を

人間の能力は時代とともに進歩するわけではありません。たとえば、物事の本質を見抜く力や判断力がシーザーや織田信長よりも優れているといえる現代人がどれだけいるでしょうか。

確かに科学技術はめざましい進歩を遂げました。しかし、それを使いこなす人間の個人としての能力は決して百年前の何倍にも成長したわけではないのです。高度なシステムを構築することで、人類は、かつてない便益を手に入れました。しかし、そのシステムを運用していくためには、人間の能力の限界を見極めて、個人の能力だけに頼らない仕組みが用意されていなければなりません。原子力発電所の事故に止まらず、金融システムのトラブルや災害時のサプライチェーンの崩壊も、卑小な存在としての人間の能力の限界を再認識することから見直さなくてはならないでしょう。

自然界における人間の優位性は、言語による知識の集積と科学技術の発展によって確立され、人類文明は個々の人間の能力の限界を超えて発展してきました。その反面で、現代の便利さは、人間をスポイルし、人間の能力を弱めてしまっているのではないでしょうか。

確かに現代人は、ソクラテスよりもたくさんのことを学んでいるし、たくさんの情報を素早く収集できます。しかし、ソクラテスよりも優れた思考と行動ができるとは到底思えません。生き物としての人間が本質的に進歩しているわけではないのです。文明が高度化すればするほど、人間本来の能力を高めていくことの重要性を、つねに意識しなくてはならないのではないでしょうか。

私は、四十年来、プライベートな時間をルネサンス時代の合唱音楽の探究に費やしてきました。この時代の音楽は、複数の声部が独立して動き、絡み合っていきます。主役がいて、脇役がそれを支える関係ではありません。それぞれの声部の動きをくっきりと浮かび上がらせるためには、他を圧するようなベルカントの声ではなく、余分な力とビブラートのない透明な声が求められます。ばらばらな動きをしながら結果としてきちんと和声が成立しなくてはならないので、正確な音程とリズムが不可欠です。そして何よりも重要なのは、個々の声部が発揮する自主性が全体として生き生きとした音楽を作り上げていくことです。

ルネサンスの人間復興は、神と教会の絶対的な権威からの解放でした。いま必要なのは人間が科学技術から主役の座を取り戻すことではないでしょうか。そのためには、肉体的にも精神的にも、生き物としての人間が本来持っていた能力を鍛え直さなくてはなりません。

（『新文化』四月）

二〇一二年

真の「国益」とは

日本の近代化と成長発展は通商の拡大とともに進んできました。それを忘れて、自国の利益のみを追求し、領土と権益の拡大に突き進んだ結末は手酷い敗戦でした。戦後の日本は産業振興一本槍で世界第二位の経済大国にのし上がったのでしたが、この過程で欧米各国の工業製品の多くが、日本製品によって駆逐され、消えていったのです。

その日本が比較優位のない分野への海外からの参入を阻止することに正当性はありません。あらゆる分野で堂々と競争し、生産性を高めることで、より効率的な社会を実現することこそが、国民の福祉にかなう国益であるはずです。

（『雑誌協会報』一月号）

二〇一三年

メディアの責任

尖閣・竹島問題や原発問題など、最近のメディアには論理より感情に訴える議論がまかり通っているように思われます。正義を振りかざして反論を封殺し、大衆を煽って一つの方向に国論を誘導するメディアが、かつて日本を破滅へと導いたことを思わずにはいられません。

インターネットの普及や電子媒体の台頭によって、紙メディアは苦境に立たされているように見えます。しかし、苦し紛れに大衆におもねることは、メディアの衰退を加速させることになるでしょう。

正確な事実と研ぎ澄まされた論理の力によって、権力や権威に立ち向かうことこそが、メディアの責任であり、生き残りの道であると思います。

(『雑誌協会報』一月号)

健全な経済社会の発展を阻害するもの

前任の浅野に替わり、六月から経済倶楽部理事長に就任いたしました。八〇年を超える当経済倶楽部の活動をさらに発展させ、会員の皆様にご満足いただけるよう専心努力していく所存です。どうかよろしくご指導ご協力の程を、お願いいたします。

経済倶楽部は、一九三一年に東洋経済新報社によって設立されました。設立後は別個の独立した組織として活動することになりましたが、その狙いとするところは、「無形の東洋経済新報」であり、雑誌の形では届けることのできない生の情報を読者に提供することにありました。

設立された一九三一年は満州事変の勃発した年でもあります。東洋経済はかねてから、海外の領土と権益の拡大によって国を発展させようとする「大日本主義」を批判し、通商を通じて経済の発展を目指す「小日本主義」を主張してきました。しかし、政治の混迷が軍部の膨張と独走を許し、次第に準戦時下に移行していく中で、言論統制が強まって行きました。そうした中で、経済倶楽部はコアな読者に誌面では提供し切れない正しい情報と言論を提供する貴重な存在になったのです。

一八九五年に創刊された『東洋経済新報』（後に『週刊東洋経済』と改題）は、創刊の辞の中で、「健全なる経済社会の発展に貢献する」ことを発刊の目的として掲げました。そして「健全なる経済社会は個人の発達に待たざるべからず」として、個の確立した社会をめざすために必要な情報と理論の提供を目指したのです。

市場における自由な競争を通じて効率的な資源配分を実現することが、自由経済の基本です。国家によるいらざる統制や資本の横暴は、自由な競争を阻害し、経済の発展を損なうものでしかありません。しかし、自ら考え、健全な判断を下して行動する経済主体が存在しなければ、健全な経済社会も形成されないでしょう。

アベノミクスの成否は第三の矢である「成長戦略」に係っていると、多くのメディアや識者が指摘しています。しかし、成長戦略を政府や役人に描いてもらうことをどこかで期待しているとすれば、それは愚かなことです。民間企業の活動を活発化させて経済成長を高めることでしか道は開けないでしょう。

医療、介護、労働（雇用）、教育、農業など、これから内外の市場拡大が期待できる分野は、いずれも民間の活動が制約され、市場の発展が阻害されている分野です。しかも、これらの分野こそが、危機に瀕している国家財政の悪化の要因なのです。劣悪なサービスを産んでいる既存の体制に終止符を打ち、官による既得権益の保護を排除して、競争の導入によるサービスの向上を可能にする効率的な制度へ移行を図るしかありません。

現代では自由な言論は保証されています。しかし、メディアのみならず、インターネットの普及に伴う情報の氾濫は、何が重要で、何が正しい情報なのかという判断をきわめて難しくしています。活字や放送、そしてインターネットの中の情報を知らず知らずのうちに真実であるかのように受け止めてしまう危険に取り巻かれているのです。その意味で直接話を聞くというプリミティブな行為が再評価されています。経済倶楽部は良質で有益な講演会を追求して参ります。

（『経済倶楽部講演録』＝以下『講演録』七月号）

メディア興亡の断面

経済倶楽部が創設された一九三一年の六月に東洋経済新報社が日本橋本石町に新ビルを建設して移転しましたが、経済倶楽部は、新ビルの空きスペースの有効利用の一環として構想されました（戦後、日本銀行の新館建設に際して現在の地に移転）、以来八二年にわたって、経済倶楽部は「口頭による」言論活動を展開してきました。

紙メディアの衰退がささやかれて久しいものがあります。雑誌市場は実に一六年もの間縮小が続いています。これを必ず読まなければ、という必然性が読者の側から失われつつあります。フェイスブックの時代なのでしょう。「書き手の顔が見えない」という不満があるということが、ある調査で判明しています。どういう情報が載っているかではなく、どういう人がその情報を発信しているかで、情報の価値が判断される時代なのです。

発信者の顔が見えるという点では放送メディアが優れています。テレビの影響力は、様々な批判にさらされながらも、依然として大きなものがあります。しかし、限られた時間の中でなされるテレビでの発言は、結論だけを急ぎがちで、討論番組も一方的な議論の言い放しに終始しがちです。こうした地上波番組に飽きたらない視聴者がBS番組に流れ込みつつあります。

成長著しいインターネットメディアはどうでしょうか。匿名性の高い掲示板から、書き手の顔が見えるブログやフェイスブックへと、特性を生かして進化し、そのことが新たな利用者を呼び込み、ビジネスも拡大しています。今年の参議院選挙から選挙運動への活用も解禁されました。初回はどうしても手探りの感が否めませんが、今後の習熟に従って着実に効果が発現されてくるはずです。

デジタルメディアの情報は画面上の文字と画像によって伝えられます。その意味でデジタルメディアは紙メディアと放送メディアの両方の特質を併せ持っていることになります。インターネットも、最近話題の電子書籍や電子雑誌も、こうした特性を活かした新しい媒体として、幾多の変貌を遂げていくことになるでしょう。

メディアが何であろうと、考え抜かれ、練り上げられたものでなければ、本当の価値は生みだせません。その本質を、出し手と受け手双方が確認する必要があります。

（『講演録』八月号）

ねじれは解消したが

梅雨明けと同時に記録的な酷暑となりました。その後も少し涼しいという日は続かず夏日が続いています。くれぐれも熱中症にはご注意ください。さて、ねじれ解消後の安倍政権に期待する向きも多いようですが、自民党内の既得権益擁護グループの活動が、再び活発化する懸念も大です。

（同）

酷暑の夏に思うこと

今年の夏は四万十市で四一度を記録するなど、とにかく猛烈な暑さ続きでした。熱中症で搬送される方が後を絶たず、その半数以上が高齢者だそうです。齢を重ねると次第に暑さを感じなくなるからだというもっともらしい解説がありましたが、戦中戦後の貧しい時代を超えてきた世代の方々は、やはりエアコンをつけ続けることに心理的な抵抗が強いためではないでしょうか。

この二、三年の夏は、搬送こそされませんでしたが、私自身や家族も明らかに熱中症の症状に陥り、あわてて氷枕やエアコンに救われるという経験をしました。とにかくいろいろな意見に惑わされずに、部屋を涼しくして休むことを心がけるしかないというのがとりあえずの結論です。

猛暑の背景に世界的規模の異常気象があることは疑いようがありません。北極の氷が解け始め、アメリカや中国を熱波か襲うといった情報が次々に出現している現実を見れば、地球温暖化の進行は、もはや否定しがたいといえるでしょう。

にもかかわらず、日本における地球環境問題への関心はこのところかなりトーンダウンしているようです。かつて鳩山首相はCO_2を二五％削減すると世界を相手に大見得を切りましたが、その当時の政府の試算では、その実現には原子力発電の比重増大が不可欠の条件でした。後を引き継いだ菅首相は東日本大震災を受けて脱原発を打ち出しましたが、CO_2二五％削減公約をどう実現するかについては、何も明確な説明はありませんでした。

もともと二五％削減についての国内合意はなかったと切り捨ててしまうのは簡単です。しかし、この問題について先進国日本の責任として、どういう方針を持って取り組むのかを、世界に説明する必要があります。原子力発電を廃止するなら、地球環境問題解決と両立する道筋を明らかにしなくてはなりません。火力発電の比重が増大し、化石燃料の輸入が急増している現実に眼をつぶり、「電力は足りている」と叫ぶ愚かな声がまかり通る現実には、夏の暑さ以上にうんざりします。

ところで、都市部の暑さについてはヒートアイランド化も大きな要因です。冷房の排熱や、舗装道路の蓄熱など、原因が明らかでも、取り除くことが困難な要素が都会には蔓延しています。しかし、効果のある緩和策もないわけではありません。都市の緑化と水辺の再生はその筆頭でしょう。屋上の緑化や道路の地中化のように投資が必要な対策だけではなく、街路樹の枝を切らずにもっと茂らせるだけで効果があるという報告を都市学の権威である伊藤滋氏が提案したことがあります。しかし、こんな簡単なことも、なかなか実現しません。樹木の伐採も立派な利権の一つだからなのでしょうか。

（『講演録』九月号）

率直な安保論を

安倍首相は中東歴訪により、エネルギーの安定確保に努めていますが、中東で戦火が拡大すれば、こうした努力も水泡に帰すかもしれません。集団的自衛権容認については、世論は依然として厳しい反応を示しています。安全保障については、政治家の側からもっと率直かつ丁寧な問いかけがなされる必要があるのではないでしょうか。

（同）

国内に大きな成長機会

参院選の結果ねじれが解消し、いよいよ安倍政権の真価が問われることになります。

大胆な金融政策の転換により、証券市場が活性化し、企業の設備投資も上向いていま す。この流れを加速させ、日本経済を持続可能な安定成長軌道に復帰させることができるかどうかは、安倍首相の掲げた三本目の矢が的の中心を射抜くことができるかどうかにかかっています。

成長戦略の中身が、お役所の主導による新産業の創出であってはなりません。税の優遇や補助金の投入による官主導の産業政策だけは願い下げにしたいものです。政府がなすべきことは、許認可と規制の網によって市場の発展が阻害されている分野に企業の活力を導入することです。医療・介護、教育、農業など、手厚い規制と保護によって守られてきた聖域は、財政赤字の主要な原因になる一方で、十分な品質とサービスが実現できていないのが現状です。より良いサービスには創意工夫や品質向上の努力が評価される市場が必要です。

成長戦略のカギは規制緩和にあるとの見方があります。しかし、国民の生命や安全にかかわる分野であるとして、規制緩和への抵抗も根強いのが現実です。競争の導入によって品質やサービスが向上し、より安全で質の高い商品やサービスが得られるようになることを、国民に納得してもらわなくてはなりません。必要なのは、そうした目的を実現するための規制の見直しです。明確な目的のない規制改革や規制緩和は、新たな既得権益を生むことにしかならないでしょう。

国会のねじれが解消すれば大胆な成長戦略が実現するのでしょうか。懸念されるのは、むしろ自民党内の既得権益擁護派と官僚の抵抗です。安倍政権の内部にもこうした勢力は存在しています。財政再建の第一歩となるはずだった消費増税は、既定方針通りに実施されるでしょう。しかし、増大する社会保障費用の一部に充てられるはずだった税収増の一部が公共事業に化けてしまう可能性が高くなってきました。内閣の中枢に、ばらまき重視派がいるからでしょう。

産業の高度化によって世界有数の経済大国にのしあがった日本ですが、成長率の低下と政府債務の増大によって転落の道を辿るかどうかの岐路に立たされています。成長をあきらめて貧しさを分かち合うという選択を進めるような議論も出てきています。しかし、手厚い規制の下で競争が阻害されているがゆえに、低い生産性のままに放置されてきた分野にメスを入れれば、成長の余地は大きく債務も減少させることができるはずです。

(『講演録』一〇月号)

原発事故の後始末は

福島原発の汚染水対策に国が前面に出て取り組むことになりました。オリンピック招致のためのドタバタとはいえ、一歩前進であることは確かです。事故処理に国が先頭に立って取り組むことは、世界の日本に対する信用を担保する上でも必要不可欠です。官僚や民間企業にどのように前向きに協力してもらえるか。まさに政府の指導力が問われます。

（同）

歩道は誰のものか

仕事帰りに自宅近くのコンビニで買い物をし、目の前の横断歩道が青だったので渡ろうと一歩踏み出したその時……。前をかすめて自転車がかなりのスピードで走り抜けました。少しでも急いでいたら跳ね飛ばされるところでした。あるいは自転車に乗っていた人も大怪我をしたかもしれません。

省エネへの関心の高まりから、自転車に乗る人が増えています。しかし、自転車を利用するための環境はあまり改善されていません。それどころか、自転車による対人事故が急増しています。国土交通省は数年前から歩道を走る自転車を車道に戻す方向で対策を進めてきましたが、効果はいまだにといったところです。人がすれ違うのもやっとの狭い歩道で、平気で人を押しのけるように走る自転車は後を絶ちません。後ろからベルを鳴らして歩行者をどけようとする不心得者もいます。歩道は本来歩行者のものであり、自転車は例外的に走らせてもらっているのだということを意識している人がいかに少ないことか。

こうしたことになった原因は明らかに交通政策の失敗にあります。もともと車である自転車は歩道を走ることが禁じられていました。しかし、自動車の普及によって交通量が増加し、渋滞や自動車と自転車の接触事故が増加する中で、自転車利用者の保護を大義名分に、とりあえず自転車を歩道に上げるという緊急避難措置が取られました。本当のところは、自動車のスムーズな走行の邪魔になる自転車の排除が狙いだったのではないかと私は疑っているのですが。

当初は、自転車の走行が可能な歩道はその旨の標識が建てられたところだけだったと記憶しています。しかし、いつの間にか自転車はあらゆる歩道を我が物顔に走り回るようになっていきました。歩行者は右側通行、自転車は車と同じ左側通行といった常識も失われていきました。冒頭のケースのように、横断歩道を渡る人の列を突っ切ろうとする自転車も後を絶ちません。

本来は車である自転車を、本来は車から弱者である歩行者のための歩道に上げれば、より弱い者にしわ寄せがくることは明らかです。しかも自転車は車でありながら交通法規などの習得が不要です。ルールが存在することなど考えもしない輩がたくさんいるのです。

根本的な対策は自転車専用レーンを増やすことです。一部の歩道を走行可能にし続けるのであれば、そこには標識を必ず掲げ、その一方で自転車利用者への交通教育も義務化すべきでしょう。いずれにしても歩行者の被害が増え続けているにも関わらず、行政はあまりに怠慢であるといわざるを得ません。

（『講演録』一一月号）

気象情報の落とし穴

伊豆大島で発生した土石流被害では町役場と東京都の責任は重大です。しかし、気象庁発表の警戒情報や各地の避難勧告、避難指示を繰り返し流すのに、台風の進路に存在していて警戒情報が出ているにもかかわらず、避難勧告を出さない自治体があることになぜ誰も気づかなかったのでしょうか。発表を流すだけの報道のあり方にも問題がありそうです。

（同）

一人前の選挙権が欲しい

今回も違憲判決は出ませんでした。一一月二〇日の最高裁判決は、最大二・四倍の格差を「違憲状態」と認めながら、国会が是正に向けて前進しているとして、「選挙無効」の訴えは棄却しました。「違憲」であるとした裁判官は三名に止まり、選挙無効の意見は皆無でした。前回の判決で撤廃を求めた「一人別枠方式」が廃止されたことを評価したとも読めますが、肝心の格差は縮小するどころか拡大しています。そもそも「違憲状態」だが「違憲」ではないといった寝ぼけた論理がどうして通用するのでしょうか。「違憲」と言ってしまうことが怖いのなら、それこそ責任放棄であり、職務怠慢です。

三権分立の根幹を成す「違憲立法審査権」を抜くことのない伝家の宝刀としてしまった最高裁に一票の格差を常態化させた大きな責任があります。国民主権の最も重要な基盤である選挙権の価値が住む場所によって異なるということは、明らかに国民の権利の侵害です。格差が二倍以内ならいいとか、三倍以内ならいいとか、いったいどのような根拠に基づいているのでしょうか。問題は最大格差の対象となった選挙区のみにあるのではありません。大多数の選挙区では選挙権の価値が一票に満たないのです。目指すべきは、すべての選挙区において限りなく一票の価値が平等であることです。

私は参院選の際に行われる裁判官の審査で積極的に×を付けることにしています。最初のうちは、「違憲」に近い少数意見を述べた裁判官は除外していましたが、ある時期からやめました。なかなか情報が得られないこともありますが、判決は合議制であり、結果の責任は全員が負うべきだからです。同様に考える国民が増えていることは国民審査の結果を見れば明らかです。最高裁の煮え切らない態度を変えさせるためにも与えられた権利を最大限に行使しようではありませんか。

「憲法の番人」として毅然とした態度をとらない結果、最高裁は議員たちになめられている、と思います。今年九月に最高裁は民法が定めた婚外子の遺産相続分格差を違憲とする判決を出しました。しかし、この判決を反映した民法の改正案が自民党法務部会で猛反対にあい、宙に浮いてしまったのです。ここでの反対意見は露骨に最高裁の権威を否定するものでした。憲法の改正を主張することは自由ですが、現行の憲法を尊重し、従うことは、国会議員の最低限の義務でしょう。

（『講演録』一二月号）

中国の挑発行為

中国が沖縄・尖閣諸島を含む東シナ海に防空識別圏を設定しました。どうやら日米同盟の強さを試そうとしている気配が濃厚です。日本が実効支配する地域に一方的に防空識別圏を設定することは、明らかな挑発行為ですが、危険なのは偶発的な軍事衝突です。日本は毅然とした立場を貫くとともに外交的解決を目指すことが重要でしょう。

（同）

二〇一四年

理にかなうということ

戦前の日本は大陸の権益の拡大を追求することで、次第に軍国主義の泥沼に踏み込んでいきました。この流れに「小日本主義」を掲げて真っ向から異を唱えたのが、三浦銕太郎と石橋湛山でした。ご存知のように、この二人は経済倶楽部の産みの親でもあります。「小日本主義」は、海外の権益の獲得に力を注ぐのではなく、国内の産業を振興し、通商を通じて国を発展させていくことが理にかなっていることを論理的に主張したものでした。論理の対極にあったのは、理屈に合わない政策を支えた感情に訴える言論です。論理の敗北は、日本人の知の貧しさの表れだったといってよいでしょう。

一九八五年に創刊された『東洋経済新報』の目的は、「健全なる経済社会」の発展に貢献することでした。そして、「健全なる経済社会」の実現には「個の発達」が不可欠であるとして、個々の経済主体が正しい判断に必要な最新の経済情報や論説を提供したのです。市場経済の発展のためには、市場のルールを守り、合理的な判断に基づいて理にかなった行動をする経済主体が存在しなければなりません。まさに経済社会の発展には「個の確立」が不可欠なのです。

経済倶楽部が創設された一九三一年は満州事変が勃発した年です。大陸経営の非合理性を指摘し続けた東洋経済は、戦時体制への移行につれて、次第に言論統制に直面することになります。この時、誌面を通じた言論の限界を補ったのが経済倶楽部の講演会でした。心ある経済人や学者に支えられた経済倶楽部は知の最後の砦となったのです。

現代の情報化社会では、戦時下とは別の意味で良質な「生」の情報が求められています。氾濫する情報は断片的で、かつ扇情的な発言で溢れており、理にかなった言説にじっくりと向き合う機会は限られています。テレビやスマホから得られる情報は、便利ではあっても、論理の筋道を明らかにして物事を考えることには通じていないのではないでしょうか。「思い」や「気持ち」は大切ですが、それを判断や行動に発展させるためには、正確な知識と自らの力で論理を展開する能力が必要です。知らず知らずのうちに、不確かな情報で他人を断罪したり、思い込みで心を閉ざしたりする危険が、現代の情報化社会には潜んでいます。日本経済の発展には、これまでにもまして、諸外国との友好な関係が求められます。そのためにも、俗説に惑わされず、理にかなった判断のできる国民の存在が欠かせないでしょう。

（『講演録』一月号）

四〇〇万都民の不明

暮れも押し詰まってから、とうとう猪瀬都知事が辞職しました。徳田衆議院議員の選挙違反事件にからんでにわかに浮上した猪瀬氏の「借金疑惑」は、すでに検察が全ての情報を握っている中で、次から次へとみっともない言い訳を繰り返すという、見るに堪えない醜態が延々とさらされました。都民としては、こんな人に四〇〇万票を与えた不明を恥じるしかないでしょう。

（同）

人間らしい死を迎えるために

生きているものに、いつか死が訪れるのは、避けることのできない運命です。死すべきものとして、人間はその運命をたじろぐことなく引き受けなくてはならないのではないでしょうか。生にしがみつくことなく、死を受け入れるためにこそ、人はより良い生を全うしなければならないのです。人間らしく生きるだけでなく、いかにすれば人間らしく死ぬことができるのかを、高齢化が進む日本の社会は、もっと真剣に考えなければならない時代を迎えています。そのためには死を自らのものとして考え、自らの意志で全うする覚悟か求められています。

終末期の医療だけではありません。「健康」という錦の御旗の下で、われわれはあまりに検査の基準値に支配され、生き方まで左右されてはいないでしょうか。血圧やコレステロール、あるいは腹囲の基準値を超えているからといって、医師に指示されるままに、安易に薬を服用することが、果たして本当に健康なのでしょうか。

近代医学の発達はすさまじいものがあります。かつては当然死ななければならなかった命が救われるようになりました。特に生きるべき未来が突然の事故や病で断ち切られる青壮年の場合には、医学の進歩は大いなる福音として歓迎すべきものです。しかし、すでに十分に生きてきて、余生を楽しむ時期に入った世代にとっては、若い世代とは違った医療との向き合い方があるはずです。一日でも長く生きていたいと願うよりも、少しでも人間らしく生きるためにこそ、医学の進歩を使うべきではないでしょうか。

医療費の増大が国家財政の悪化の大きな要因となり、国民皆保険の存立が危ぶまれるようになっています。このことを高齢化社会の到来に起因すると、一言で片づけてしまうのは、あまりに医療保険財政の現実を知らない世迷言です。健保財政を圧迫している最大の原因の一つは、避けられない死を延命するために、一日数百万円もの高額医療費が投入されていることです。私自身は、こうした医療を断固拒否したいと考えています。

日本人は医療行為のすべてを医師に任せすぎていないでしょうか。自分の命のありようを専門家にすべて委ねるのではなく、自ら考えて対処する覚悟を持つことが、自立した市民の責任ではないでしょうか。訪れる死は、その人がどう生きてきたかの結果でもあります。自分を生かしてくれた社会のために、そして残される家族のために、自らがどのような死を選ぶのか。その選択は死にゆくものの責任ではないでしょうか。

（『講演録』二月号）

都知事職の重さ

二月号がお手元に届くころには、新しい都知事が決まっているでしょう。都知事は単なる地方の首長ではなく、日本の首都である国際都市東京のトップです。ある意味では日本の顔の一人ともいえる存在です。東京がどう変わっていくかが、国のありように大きな影響を及ぼすことも無視できません。願わくば、それにふさわしい存在であってほしいものです。

（同）

映画雑感 ㈠

新年明けから、邦画をいくつか続けざまに鑑賞しました。若いころはもっぱら洋画を見て過ごしましたが、最近は目が弱くなって字幕を見るのが難儀になったので、邦画中心になりました。で、休日にはせっせと映画館通いをしています。先ごろベルリン映画祭で黒木華が最優秀女優賞（銀熊賞）を獲得した『小さいおうち』も封切りの日に行きました。実は松たか子と吉岡秀隆のファンなのです。まさにこの二人が不倫関係になり、その秘密を抱えた女中さんを演じた黒木華が銀熊賞に輝いたのですが、興味深いのは、満州事変から日中戦争へと進んでいく日本の世相が丁寧に描かれていることです。

予想外（？）の大ヒットとなった『永遠の0』では、海軍航空隊の凄腕飛行士が最後は特攻に志願して戦死します。その主人公の生き様を、その妻だった祖母の死によって実の祖父の存在を知ることになった孫たちが調べていくという形で映画は展開していきます。『小さいおうち』でも独身のまま死んだ女中さんの親類の若者が残された謎を解き明かしていきます。どちらも、戦時下の時代を知らない若い世代が、謎を追うことで少しずつ戦争に翻弄された時代を理解していきます。

昨年は『少年H』や『風立ちぬ』でも、戦時下の日本が描かれました。しかし、本当にその時代を肌で知っていた世代は次第に少なくなりつつあります。『永遠の０』でも描かれていたように、語りたがらない人たちに重い口を開いてもらうことは簡単ではありません。また、体験談がどこまで真実を伝えているのかも慎重に見極めなければならないでしょう。しかし、研究書や歴史書をひもとく人は限られています。その意味では、若い人気俳優が父祖の時代を探っていくという設定は、とても有効だと思われます。若い世代の目で、かつての時代の真実を少しずつ解き明かし、理解していく作業が、まさに必要な時代になっているのです。

その一方で、私自身は、芸術性や名画という枠にとらわれず、現代の若い人たちが好むような映画を楽しんでいます。最近の作品では、『陽だまりの彼女』、『カノジョは嘘を愛しすぎてる』、『潔く柔く』、『四十九日のレシピ』、『抱きしめたい』といったところです。若い人の気持ちがわかるといった御託ではなく、こうした映画は、とても私自身の心を若くしてくれるような気がします。

（『講演録』三月号）

大雪下のシンポジウム

二月一四日のアジア平和貢献センターとの共催によるシンポジウムは、充実した講師陣を迎えて、たいへん中身の濃い催しになりました。ただ、大雪の日にぶつかったため、残念ながら空席の目立つ結果になってしまいました。講師の方々のお話は、いずれも若々しく熱のこもった前向きの内容でした。例会においでになれなかった方は、是非講演録をご熟読ください。

（同）

変化を恐れず好奇心を糧に生きる

四月といえば、学校や企業、官庁など多くの組織が新年度入りします。新聞やテレビでも、大手企業や大学の入社式や入学式を報道しますし、なんとなく社会全体が浮き立つような季節を迎えたような気がするから不思議なものです。三月から五月にかけては桜前線が日本列島を北上しますから、そうしたことも、こうした季節感に影響しているのでしょう。しかし、いつから四月一日が新年度として日本に定着したのかと考えてみると、おそらく官庁や学校の制度が定着した明治以降でしょう。

企業の決算期は、三月期が多かったとはいえ、七〇年代までは業種によっては三月以外の決算期もかなり存在していました。商法が改正され、企業が総会屋対策にこぞって決算期変更に走るまでは。

東京大学が九月入学への移行を打ち上げて話題になりましたが、その後これが具体化するという話にはなっていません。大学関係者によれば、欧米だけではなく、アジアの国々でも学校は九月入学がほとんどで、日本の四月入学が留学生の受け入れに少なからず障害になっているそうです。私立大学の中には、九月入学の受け入れを進めているところもありますから、制度全体を変えなくとも対応はできるのかもしれません。しかし、必要に応じて柔軟に制度を変えることの難しい社会だということを痛感させられます。特にお役所がからむと改革はとても困難です。入学試験が冬でなく夏になれば大雪に悩まされたり、インフルエンザにかかることを心配しなくてもよくなるでしょうに。

前例を踏襲することにこだわっていたら企業は生き残れません。時代の変化と市場の動向を敏感に捉えて、自らの組織と方向を常に修正していなければ、思わぬ窮地に立たされることになるでしょう。企業だけでなく、硬直化し、若さを失った組織は、やがて社会から取り残されて存在意義を失うことになるでしょう。

人間も年と共に保守的になり、変化を好まなくなるといわれます。しかし、社会に関心を持ち続けることによって、若さは保たれるのではないでしょうか。好奇心こそが若さの糧であるといえるかもしれません。高齢化社会が到来しても、高齢者が先頭に立って社会の不合理をただし、若い世代が伸び伸びと働いて力を発揮して生きていける社会をつくることができれば、日本は「先進国」であり続けるでしょう。若い世代の足を引っ張るのではなく、背中を押してあげられる存在でありたいものです。

（『講演録』四月号）

ネット社会の危うさ

顔も分からない人間に大切な子供を託すという、インターネットの危うさを浮き彫りにする事件が起きました。顔の見えないネット上の相手が、本当に名乗った通りの人間なのか。あるいはなりすました他人なのか。便利ではあるが、様々な犯罪の温床になりかねないこのインターネットの陰の部分をもっとよく知ったうえで使う必要がありそうです。

（同）

相互理解が関係改善に不可欠

一九七二年九月に日中国交正常化を成功させた田中・大平外交は、政治的リーダーシップが実を結んだ稀有な出来事でした。当時の大平外相は、国交正常化後の国会演説で、「わが国は、世界の平和と繁栄なくしてその安全と繁栄を確保することはできません。したがって、経済、文化等のあらゆる分野で、国際間の協力と相互依存の関係を拡充強化し、相互の理解と信頼を深めて」いくことが外交の基本方針であると述べています。いままさに必要なのはこの基本となる精神を国民が共有することではないでしょうか。

われわれは友人を選ぶことはできても隣人を選ぶことはできません。隣人との関係を良好に保つことは、われわれの生活の安心と安全にとって不可欠であるだけでなく、日本経済の繁栄と発展にも深く関わっているのです。

いまの日中関係は「反日」、「嫌中」のとげとげしい空気に包まれています。確かにメディアを通して聞こえてくる中国側の言動には、理解しがたい理不尽さが含まれています。しかし、ことさらに嫌悪感をあおり、相手の欠点をあげつらうことからは何も生まれません。相手の置かれている政治的、あるいは経済的状況を冷静に見極め、隣人との関係を正常な姿に戻すことが何より重要でしょう。

中国経済は高度成長期から安定成長期へ移行しつつあります。経済の減速は、これまで覆い隠されてきた社会の矛盾を表面化させることになるでしょう。高度成長の負の遺産である環境汚染も解決の目途が立っていません。何よりも「成長がすべてを癒す」時代が終わったことを中国社会が受け入れるしかないのです。しかし、こうした中国の姿は、一九七〇年代から八〇年代にかけての日本の姿でもあったのです。他人の不幸をあげつらうのではなく、自らの社会に正すべき点がないかどうかを考える方が先のはずです。日本経済は将来にわたって維持可能な程度まで成長機会を創り出さなくてはならないからです。

一方、日韓関係の改善は、日本の安定と発展のみならず、アメリカのアジア戦略に深く関わっています。韓国と日本は、ともにアメリカの同盟国であり、両国の協力なくしてアメリカのアジア戦略は成立しえないからです。米中接近や米国の中国重視に眼を奪われる余りに、この基本を忘れてはならないでしょう。

（『講演録』五月号）

リスク管理の重要性

韓国の客船難破事故はたくさんの高校生が命を落とすという痛ましいものになりました。原因は操船ミスの可能性が高いようですが、二度と過ちを繰り返さないためには、徹底的な事実究明と防止策の策定が欠かせません。いずれにせよ現代生活は思わぬリスクに囲まれています。利便性が高まるにつれ、リスクのありようも複雑になり、及ぼす影響も大きくなっています。リスク管理が一段と重要になっているのです。

（同）

常識を疑うことの大切さ

ノーベル賞受賞者として著名なバリー・マーシャル博士の講演を聞く機会があり

ました。マーシャル博士はピロリ菌がほとんどの胃潰瘍の原因であることを突き止めた学者の一人です。ピロリ菌の駆除により、胃潰瘍患者は激減し、日本においても関連した医療費が大幅に減りつつあります。胃潰瘍が胃がんの発症につながることから、胃潰瘍や十二指腸潰瘍患者の減少は胃がんの予防につながることも期待されています。

しかし、ピロリ菌の存在と、それが胃潰瘍や十二指腸潰瘍の原因になるという発見が医学界に認められるまでには、長い時間が必要でした。胃酸の過剰分泌やストレス、食生活などが胃潰瘍の原因であり、強力な胃酸のもとでは菌は存在しえないとするのが医学界の常識だったからです。マーシャル博士は最初の論文の掲載が拒否された時の手紙を大切に保存しているそうです。

博士は「科学の世界は民主主義ではない」と語っています。つまり、既成の常識を疑い、異端とされるような学説から科学の進歩は生まれるからです。既成の権威や多数意見によりかかることからは進歩は生まれません。

マーシャル博士は科学の進歩にとっての仮説の重要性も指摘しています。アインシュタインの相対性理論は長い間実証はされていませんでした。だからアインシュタインは相対性理論ではノーベル賞を受賞できませんでした。しかし、多くの後進の学者たちがこの仮説に基づいて研究を続けることで、相対性理論が正しいことが実証されたのです。その意味で優れた仮説の提示は科学の進歩にとって極めて重要な要素なのです。

政治体制としての民主主義の優位性は、民主主義の抱える様々な欠点を考慮しても、認めなければならないでしょう。あらゆる独裁は、ある時点においては効率的かつ合理的であったとしても、必ず腐敗と非合理の温床になるからです。しかし、だからといって民主主義の多数決原理をあらゆる分野にあてはめようとする傾向は、科学のみならず様々な不都合の原因になりかねません。

その一つは世論の権威に寄りかかろうとする論調です。政治家が世論を無視することは許されません。しかし、世論はマスコミの論調に大きく影響されるものです。自らが創り出した世論をふりかざして結論に導くことは、ある意味では牽強付会のそしりを免れないでしょう。

いかなる場合にも、常識や権威を疑い、少数意見や異端の言説に耳を傾ける謙虚さが求められます。自らの知識や理解が本当に十分なものであるかどうか。権威や常識に寄りかかっているのは自分自身かもしれない。時々は立ち止まって、そうしたことを考察する勇気が必要なのではないでしょうか。

（『講演録』六月号）

成長喚起に具体目標を

アベノミクスも二年目に入り、いよいよ経済政策の焦点は日本経済の成長力をいかに高めるかに移ってきました。お題目を並べただけの成長戦略ではなく、重要なことは何をすればどのくらい成長率を引き上げられるのかについての具体策と目標数字です。日本経済をどう変えていくかの展望なしに、現状の日本経済の置かれている条件を所与のものとして、その延長線上で悲観論や楽観論を語ることにいかなる意味があるのでしょうか。

（同）

感情に訴える報道の危うさ

いつも不思議に思い、嘆かわしく感ずるのは、事件報道の現場で「正義の味方」として居丈高に振る舞う新聞記者やテレビのリポーターの存在です。容疑者の声を直接引き出すのは難しいからでしょう。被害者の家族につきまとって、犯人への憎しみの言葉を引き出そうとしたり、被疑者の家族に詰め寄って謝罪の言葉を強要したりするのを使命だと考えているようです。そもそも容疑者はまだあくまでも容疑の段階に過ぎません。警察の発表やリークの情報をうのみにして、一方的な報道をすることが本当に正しい在り方なのでしょうか。

発表やリークに頼る報道は冤罪の温床になってきました。密室での取り調べが自白の強要を通じて数々の冤罪を生んできたことは間違いない事実です。しかし、捜査当局からの一方的な情報に基づく報道は被疑者に回復しがたい傷を残すことになります。あらゆる角度から検証した内容を流すのが報道の責任であるはずです。被害者の家族のうらみつらみに寄り添うことは、事件そのものの真実を追求することには全くつながりません。いたずらに大衆の感情に訴えて社会的な悪感情を醸成することにどんな意味があるのでしょうか。

重大事件の公判に関する報道のあり方にも疑問があります。容疑者が無罪になったり、量刑が軽かったりすると、必ず被害者の家族の発言を求めようとします。「疑わしきは罰せず」という民主国家における原則はどこに行ったのでしょうか。「罪を憎んで人は憎まず」という良識は、もはや死語なのでしょうか。

感情に訴える報道は、時として社会を誤った方向へと導きます。愛国心や民族感情に訴える報道が国を誤った方向へと導くことをわれわれは忘れてはならないでしょう。民主主義は多数決によって結論を導き出しますが、多数意見がいつも正しいとは限りません。少数意見を尊重し、謙虚に耳を傾ける姿勢が、民主主義を衆愚政治に堕する危険から救うことになるのです。報道の役割は、冷静な論理の力によって、権力者の横暴だけでなく、大衆の暴走にも歯止めをかけることにあるはずです。

インターネットの普及によって、報道機関の持つ力は低下しつつあります。誰でもが情報の発信者になりうるだけでなく、一つの情報が真偽を検証されることなく、限りなく増幅していく時代になりました。しかし、氾濫する情報の中から真実を見つけ出すためには、何よりも発信者の信頼度を見極めることが重要です。その意味で高い調査能力と深い分析能力こそが報道機関の存在意義になるでしょう。私は論理的でない報道に惑わされないよう肝に銘じています。

（『講演録』七月号）

自覚なき醜態

自らを日本の顔であると自負しているようなのに、東京のイメージを悪くするようなことが次々に起こるのは、なぜなのでしょうか。トルコを巡る失言で世界に名を売った知事がいなくなり、しばらくは静かでしたが、今度は都議会が世界の笑いものになっています。自らの醜態ぶりを全く認識できないのが、怖いところです

（同）

過ちを繰り返さないために

暑い八月は日本人にとって忘れがたい季節です。広島、長崎への原爆投下、ソ連の参戦を経て、一五日に遂に詔勅が下されます。私自身はまだ生まれてはいなかったの

ですが、夏の強い陽射しが降り注ぐ中で、ラジオから流れる昭和天皇（当時）の声に耳を傾ける人々の姿は、映像の中でたびたび目にしてきました。敗北に対する思いは国民一人一人にとってさまざまだったでしょうが、戦没者への深い哀悼の思いは共通していたのではないでしょうか。

日本における支那事変以降の戦没者は三一〇万人に上っています（昭和三八年の追悼式に際しての政府公式見解）。しかし、死者を悼む思いは国を超えて世界共通のものです。第二次世界大戦における犠牲者は六〇〇〇万～八〇〇〇万人と推定されていますが、このうち三五〇〇万～五〇〇〇〇万人が民間人でした。この戦争がいかに民間人を巻き込んだものであったかがうかがえます。そして、これ以降の戦争のほとんどは大小を問わず民間人をまきこむものになりました。

こうした災禍を引き起こした、あるいは防ぐことのできなかった為政者の責任は重大です。そして民主国家においてはその最終的な責任は主権者である国民自身が負わなければなりません。また、過去の大戦において、世界的な災禍の少なからざる部分の責任を日本が負わなければならないことも事実です。いま大切なのは、そのことを認識したうえで、どのようにしたら過ちを繰り返さない国を築くことができるかではないでしょうか。

かつて石橋湛山は、明治神宮の造営計画について、世界の発展に貢献する明治記念賞の創設を提唱し、敗戦直後には靖国神社の廃止を提唱しました。そこに一貫して流れている思想は、自国民だけの利益ではなく、世界に貢献し、他国民の思いに配慮することが、ひいては日本に対する世界の信頼を獲得し、日本の安全と発展につながるとの信念でした。有名な「一切を棄つるの覚悟」や「大日本主義の幻想」などの論説は、民族自決が世界史の流れであり、自ら進んで海外の領土を放棄することで得られるアジア諸民族の支持こそが、日本の国防上経済上の安定につながるという洞察から生まれたものでした。

遅れてきた列強としての立場を弁護して過去の行動を正当化するのではなく、不幸な結末につながる判断を重ねて、まっとうな言論を黙殺した不明を恥じるところから出発しなければならないでしょう。何人も愛国心を否定することはできませんが、他国民にも同様に愛国心が存在することを忘れてはならないのです。

（『講演録』八月号）

正念場のアベノミクス

安倍政権は経済最優先を掲げて出発しましたが、実際には安全保障と外交が前面に出た一年半でした。超金融緩和は継続されていますが、財政出動の効果は二年目には期待できません。第三の矢に即効性がないことは明らかです。輸出の回復が不透明さ

を増す中で、いかにして民間需要を高められるか。まさにこれからが正念場です。（同）

健診基準への大いなる疑問

今年四月に人間ドック学会は「新たな健診の基本検査の基準範囲」を発表しました。これには「日本人間ドック学会と健保連による一五〇万人のメガスタディー」という副題がついています。この新しい「基準範囲」は二〇〇八年にスタートした「特定健診・特定保健指導」、いわゆるメタボ健診が定めている基準範囲を大幅に緩和するものでした。つまり、これまでの健診の結果、病気予備軍と分類され、再検査とその後の診察で医師から薬を処方されてきたケースが新基準では健康であると分類されることになったのです。

しかし、この発表がマスコミに大々的に取り上げられると、これまでの基準を作成してきた各領域の学会から猛反撃を受けることになりました。人間ドック学会は「中間報告であり、今すぐ学会判定基準を変更するものではない」との釈明文を出して、当初の発表をトーンダウンさせました。複数の雑誌が大量の病気予備軍を創り出してきた従来の基準への疑問を特集したのに対して、新聞各紙が専門家の否定的見解を載せることで従来の基準の弁護に回りました。

かくいう私も、毎年の健康診断では「高脂血症」に分類され、いつも再検査呼び出しを受けていますが、最近はもっぱら無視しています。かなり以前にまじめに再検査を受け、その結果医師から有名な低下薬を処方されて飲んだことがあります。確かに効き目は絶大でしたが、別の医師から飲まないでいいと言われ服用をやめました。その後、何人かの専門家から、副作用がないはずだったその薬が実は危ない薬だと教えられました。薬でコレステロールを下げることには意味がない、高めの人の方が長生きするといった調査結果も知りました。

日本人間ドック学会の調査以前にも、二〇〇四年の日本総合健診医学会シンポジウムで「全国約七〇万人の健康診断結果を解析した男女別年齢別基準範囲」が発表されています。この基準範囲は今回の基準範囲にきわめて近い内容になっています。血圧やコレステロールなどの従来の基準値との乖離の大きさが話題になりましたが、新基準は欧米の標準的な基準にきわめて近い数値です。日本の異常に厳しい基準にこそ問題があると考えるべきでしょう。

私は専門家ではないので、医学的根拠を巡る議論には立ち入りません。しかし、国際的にみて非常に厳しい基準の下で、欧米では考えられないほど大量の薬が使われているという事実を見れば、どうやら日本人は必要のない薬を飲まされているのだなということは分かります。高齢化の結果医療費が増大し、財政の悪化を招いていると簡単に説明されますが、薬を投与する基準を見直すだけで医療費は大幅に減るでしょう。ここにも打破すべき既得権益の岩盤が存在しているのです。

（『講演録』九月号）

危険地域開発の責任

広島で起きた土石流による被害は何とも痛ましいものでした。近年頻発している局地的豪雨の恐ろしさを改めて再認識させられました。その一方で、危険地域に指定されているにも関わらず、ベッドタウンとして開発が進み、新たな住民への注意喚起もどこまでなされたのか。異常気象が日常化する中で見直さなければならない対応は少なくないようです。

（同）

メディアの社会的責任

フランスのクロード＝ジャン・ベルトランは、「ジャーナリズムの職業は、外部からの攻撃をすべて阻止する」「自分たちが間違うことを認めようとはしない」（『メディアの倫理と説明責任制度』）と述べ、メディアの品質向上の最大の障害は、その閉鎖性、権力志向、傲慢さにあると指摘しています。朝日新聞社が、八月五日、六日に「従軍慰安婦」に関する記事の、さらに九月一一日には原発事故時の「吉田調書」に関する記事の誤りを認め、木村社長が謝罪会見を行ったのは、そうしたメディアの習性を考えれば、まさに異例の対応でした。それは二つの誤報の及ぼす社会への影響が無視できないほど大きかったことを示しています。

朝日新聞が八三年以来一六回にわたって引用し続けてきた、いわゆる「慰安婦狩り」に関する「吉田証言」は八五年に本人が創作であったことを告白しています。また九一年に「思い出すと今も涙」と題して報じた元慰安婦の記事に多くの誤りがあったことが判明しています。日韓関係の悪化や米国における慰安婦の銅像設置などの反日現象の原因の一つとなったことは否定しがたい事実で、まさに木村社長の言うように、訂正は「遅きに失した」感が否めません。

隠された事実を発掘し、社会に警鐘を鳴らすことはメディアの大切な役割です。しかし、その事実に誤りがあったのでは報道の正当性は主張できません。根拠となる事実が誤りであるなら、速やかに訂正して謝罪するのが社会の常識でしょう。その意味では検証記事の内容やその後に掲載された八月二八日の「慰安婦問題、核心部分は変わらず」、そして朝日新聞に謝罪を求めた、池上彰氏のコラム掲載拒否は、自らの誤りの重要性と社会に対する責任を本質的に理解していなかった組織の体質を浮き彫りにするものでした。

五月二〇日の記事では、当時は未公開だった「吉田調書」等に基づいて、原発事故発生時に、「所員たちの九割は、吉田所長の命令に違反して逃げ去った」と報じました。しかし、この事実は「吉田調書」を分析した他のメディアから誤りが指摘され、政府が全面公開に踏み切るタイミングで記事の取り消しと木村社長の謝罪会見が行われました。意図的であったかどうかは知るよしもありませんが、論調に沿う形での読み違えであったことは明らかです。

メディアは取材先に対して透明性と説明責任を求めます。それは正確で公正な報道が民主社会を担保するからです。しかし、発表や証言で得られた事実は、それ自体が真実とは言えません。しっかりとした検証によって真実に近づくからこそメディアへの信頼が生まれるのです。その意味で一連の報道で失った読者の信頼を取り戻すことは容易ではないでしょう。

（『講演録』一〇月号）

束の間の繁栄

今年は残暑が意外に短く、秋のお彼岸は秋晴れのさわやかな好天に恵まれました。相変わらず騒乱の絶えない国際情勢をよそに、株価がリーマンショック前の水準を回復するなど、日本の社会は束の間の？　凪状態にあります。忍び寄る長期的な低落を目前にして、脳天気な議論に明け暮れているように思えてなりません。

（同）

道理に合わないこと

最近、私の住んでいる近くに残っていた畑の一部が二〇棟ほどの建売住宅になりました。新しい住民の生活が始められたころになって、今度は隣接する畑の北側を占めていた農家に巨大なクレーンが立ち、新たな工事が始まりました。おそらく土地を売却して得た資金で豪邸に建て替えられるのでしょう。

一五年前に生まれ育った東京都小金井市から隣の国分寺市に引っ越しました。都市化が進んで農地や雑木林が姿を消しつつあった小金井市に比べると当時の国分寺市は、まだ面積の七割を農地が占めており、市街地を外れれば、広い畑とケヤキに守られた農家が点在する田園風景に出合うことができました。

しかし、その後次第に畑は切り売りされ、巨大なケヤキの木も伐り倒され、田園風景は失われつつあります。切り売りされた住宅地に隣接して格段に立派な邸宅が建てられ、そのほとんどが、売り主の一族の苗字だという事例を数多く見てきました。

第二次大戦後の一九四六年一〇月に、ＧＨＱの指示で、農地改革法が成立、四七年から五〇年にかけて、不在地主の小作地のすべてと、在村地主の小作地のうち一町歩を超える（北海道では三町歩超）農地は、政府が強制的に安価で買い上げ、その土地を耕作していた小作人に安価で売り渡されました。当時の急激なインフレもあいまって農民が支払った土地代金はタダ同然でした。この結果、戦前の日本の地主制度は完全に崩壊し、戦後日本の農村は自作農がほとんどを占めるようになったのです。

農地改革は、GHQの行った民主化の中でも、もっとも成功した改革の一つとされてきました。「日本農民を奴隷化してきた経済的桎梏を打破する」というGHQの狙いは完全に達成されたからです。しかし、その当時には合理性のあった改革も、工業化と都市化が進むにつれて、次第に矛盾が拡大していくことになります。都市近郷においては地価の高騰により、タダ同然で手に入れた土地を売ることで大量の土地成金が誕生しました。また農村部においては、小規模農家を固定化する制度の下で、大規模経営による先進的な農業の発展を阻害する結果になりました。

コメの需給関係が崩れて減反政策を導入せざるを得なくなった時点で農業政策は抜本的な転換をすべきでした。耕作を前提にタダ同然に手に入れたのですから、耕作しないのなら土地は国に返すべきでしょう。減反と耕作の放棄で農村の疲弊を招き、都市部においては社会的公平を著しく損なってきた農業政策が道理を取り戻すのはいったいいつのことでしょうか。

（『講演録』一一月号）

立法府の名が廃る

改造後の安倍内閣が思わぬところで躓きました。看板の女性閣僚二人が相次いで辞任に追い込まれ、後任の閣僚も政治資金を巡る不透明さを追及されています。今度こそ経済が最優先と意気込んでいたにも関わらず、国会はまともな論議はないまま空転しています。これでは立法議会の名が廃るというものでしょう。毎度のことと言ってしまえばそれまでですが。

（同）

アベノミクスに欠けているもの

安倍政権二年間の信を問う総選挙が実施されます。「大義名分」がないとの声もありますが、経済、外交、安全保障などのさまざまな論議を呼ぶ政策が進められてきたことも事実です。解散権を持つ首相が信を問うというのであれば、国民は投票によって審判を下さなくてはなりません。

消費税率引き上げの延期に関しては、世論の動向や野党の対応を見ても争点にはなりえません。安倍政権が進めた集団的自衛権の容認や秘密保護法の制定も、すでに国民的関心の中心ではなくなっています。最大の関心事は、やはり低迷が鮮明になってきた景気の立て直しをどのように進めるかでしょう。

アベノミクス一年目は、金融政策の大胆な転換と株高円安の急激な進行、企業業績の好転によって、高揚感に満ちていました。大胆な金融緩和と機動的な財政政策が功を奏したのがアベノミクス一年目だとすれば、二年目はいよいよ第三の矢である「投資を喚起する成長戦略」の出番です。四月から消費税率の引き上げが実施され、税負担増と駆け込みの反動で需要が落ち込む中で、どんな第三の矢が打たれたのか。しかし、実際に出てきたのは、残念ながら通りいっぺんの官僚の作文の域を出ないものでした。確かに「一般受けしそうな」施策はいろいろと並んでいました。しかし、個人や企業が元気と活力を取り戻せるような道筋はどこにも描かれてはいませんでした。

評価は分かれるところでしょうが、小泉政権下には「官から民へ」というスローガンがありました。新しい事業機会が生まれ、商品やサービスの質が向上すれば、消費も活発化し市場が拡大するはずです。しかも官のウェイトが縮小すれば、財政への負担も軽くすることができます。民間が活力を取り戻し、投資の活発化によってだぶついているマネーが使われるようになれば、超金融緩和も出口を見出すことができます。

いま必要なのは、増税で社会保障の財源を確保するといった後ろ向きの考え方ではなく、日本を新たな発展に導く哲学ではないでしょうか。そもそも収入の二倍もの支出を続けることが当然であるはずがありません。あらゆる商品とサービスを民に委ねる一方で、経済活動を営むすべての経済主体から徴税するなら、支出が大幅に減って収入が増加するはずです。国民の税金を分配することによって既得権益を維持している官僚に日本の未来を委ねるべきではありません。市場における自由な競争が、生産性の向上を通じて経済の成長をもたらすという原点に立ち返るべきでしょう。

（『講演録』一二月号）

政権リセットの行方

相次ぐ閣僚の不祥事と予想を超える景気の低迷、そして沖縄県知事選の敗北など、高まる逆風を突破するために、安倍首相は解散総選挙に打って出ました。議席数が若干減ったとしても、政権維持に必要な勢力は確保できるとの読みでしょう。求心力を失った政権をリセットし、さらに四年間の長期政権を狙いますが、それは、今後の政策運営次第です。

（同）

二〇一五年

誰が日本人を貶めるのか

ＪＲの大久保駅と新大久保駅の間にある教会で開かれた会合に参加したときのこと、開始前の時間に何気なく備え付けのパンフレットを手にとると、それは関東大震災の折にこの教会が日本人の暴徒に襲われた朝鮮人をかくまったことを記した記録でした。当時も今もこのあたりは韓国・朝鮮系の住民が多く、コリアンタウンとも呼ばれる地域です。そして、一時はいわゆる「ヘイト・スピーチ」で騒がしかった地域でもあります。

関東大震災に際して発生した「朝鮮人虐殺」事件は、震災の混乱に乗じて「不逞朝鮮人」が放火、略奪、井戸への毒の投げ込みを行っているとの流言蜚語が広まり、これを真に受けた民衆が自警団等の形で朝鮮人、あるいは朝鮮人とみなした日本人や中国人の殺害に及んだ事件です。この流言蜚語の拡大には官憲やメディアも責任の一端を負っています。いずれにしても、朝鮮人から恨みを買うような差別が存在したことを、多くの日本人が自覚していたことが事件の背景となっていました。

コリア・レポート編集長の辺真一によれば、六〇万人の在日韓国人・朝鮮人の九五%が差別を避けるために日本名・通名を使用しているそうです。就職はもとより、日本人との婚姻等においても厳しい差別が現存しています。

日本人にとっての汚点ともいうべき歴史的事実を直視するならば、そうした場所で「ヘイト・スピーチ」のような行為に及ぶことは、まさに愚かさの極み、恥の極致と言うべき行為でしょう。

過去における差別への無知だけでなく、現在も続く差別への無関心が生み出すこうした行為は、まさしく日本人そのものの尊厳を傷つける行為に他なりません。愛国心を振りかざし、他者をして「売国奴」「国賊」呼ばわりする輩こそが、日本と日本人を貶めているのです。

(『自由思想』一月号)

映画雑感 (二)

二〇一四年も邦画を中心に映画館通いに精励しました。もっとも記憶に残っているのは『そこのみにて光輝く』です。過失で同僚を死に追いやってしまった心の痛手から無気力な毎日を過ごす若者が、悲惨で出口のない境遇の女性と出会うことで次第に生きる意欲を取り戻していきます。モノクロームな採石場の風景は主人公の暗い心象風景を思わせますが、どこかはるか昔に見た『灰とダイヤモンド』のごみ置き場を連想させました。暗鬱な中に差し込む一条の光。映像芸術としての映画の魅力を再認識させてくれる作品でした。不器用に生きる青年を好演した綾野剛は『白雪姫殺人事件』でも、無責任で投げやりなフリーター役を好演しています。

続いて観た『私の男』では、暗い画面に養女との愛におぼれていく男の出口のない生が描かれます。男を守るために平然と殺人を犯す少女は、やがて若い恋人を作って……。無表情な浅野忠信がはまり役でした。

時代劇も五本観ました。『超高速！参勤交代』はタイトル通りテンポ感のある演出で最後まで一気に駆け抜けました。権力者の横暴に立ち向かう小藩の意地が爽快。

一方、何度かテレビドラマ化されたタイムスリップものの『幕末高校生』は、落ちこぼれ教師といささか腑抜けに見える勝海舟が最後にはきっちりと江戸を救います。これまでとは違った味付けが面白かった。

林家たい平主演の『もういちど』は、まさに落語の世界から抜け出してきたような江戸の長屋が舞台の人情映画。笑点のおちゃらけとはうって変わったたい平の重厚な演技に驚かされました。

秋には『蜩ノ記』『柘榴坂の仇討』が相次いで公開されました。いずれも堂々たる本格時代劇です。原作がしっかりしていて演技力のある俳優陣がそろい、久しぶりの仕事に熱く取り組むスタッフが目に浮かぶようです。『蜩ノ記』では役所広司の貫録に若さで向き合う岡田准一の清々しい演技が収穫でした。『柘榴坂の仇討』では円熟味を増した中井貴一と阿部寛の見ごたえのある競演に加え、脇を固める多彩な俳優陣にも惹かれました。特に結末へ導く旧幕臣を演じた藤竜也の存在感はやはり只者ではありません。

ここしばらくアメリカ的善意のディズニー映画とは反りが合わなかったのですが、日本語版の歌唱が素晴らしいとの批評に押されて『アナと雪の女王』を観に行きました。大ヒットとなった松たか子の劇中歌は評判通りの圧倒的な絶唱でした。しめくくりの同じ歌に別の歌手が起用された意味がいま一つ理解できませんが。

（『講演録』一月号）

放たれない第三の矢

年末に行われた総選挙が与党の勝利に終わり、アベノミクスの継続が信任されました。とはいえ、その第三の矢は依然として放たれたとは言えません。超金融緩和と機動的な財政出動はあくまでも短期的なつなぎでしかありません。積みあがったマネーがなかなか国内投資の拡大につながらない現状をどう打開するのか。政権運営の真価が問われる年になります。

（同）

「表現の自由」とは何か

一月七日にパリで起きた週刊新聞『シャルリー・エブド』本社襲撃事件に対して、欧米各国では「表現の自由」を脅かす事件として同紙への連帯と支援の輪が広がっています。フランスのオランド大統領が呼びかけた「反テロの行進」には、欧州各国の首脳に加えて、イスラエルのネタニヤフ首相とパレスチナ臨時政府のアッバス議長が隊列を組んで行進して話題になりました。「反テロを主導する」と宣言していたオバマ大統領が出席しなかった米国では、CNNニュースを始めとするメディアが非難の声を上げ、大統領補佐官が「決定は誤りだった」「この決定に大統領は関与していない」と釈明に追われました。

欧米の主要メディアは、事件後「私はシャルリー」との大見出しで「表現の自由」とシャルリー・エブト紙の支援を訴えました。事件翌週に通常の一二ページを半分の六ページに縮小して発行された同紙は、通常の三万部強から一気に一〇〇万部に増刷して刊行されましたが、即完売になり、さらに七〇〇万部増刷されます。この売り上げの大半は犠牲になった遺族関係者への見舞金に充てられることになっています。

米国同様に首脳の行進参加を見送り、駐在大使の行進参加にとどめた日本では、「表現の自由」の危機としてこの事件をとらえる動きは顕著ではありません。メディアの反応はどちらかと言えば、「テロは悪いが風刺画もやり過ぎだ」という論調が目立つようです。たとえば、一月一七日付の毎日新聞に掲載された布施広の地球儀は「表現の自由に限って言えば、私はシャルリーにはなれない」と締めくくっています。

しかし、「表現の自由」は、気に食わない言論や表現をも擁護することによって初めて成立するものです。行き過ぎた表現を非難することは自由であるべきですが、暴力や権力による抑圧には、立場の違いを超えて立ち向かわなければ、「表現の自由」は守れないでしょう。かつて聖戦の遂行のために自ら表現の自由を捨てて体制翼賛に走って恥じることのなかった日本の大手メディアの本質は何も変わっていないのではないかと疑いたくなります。

日本国憲法第二一条は「集会、結社及び言論、出版その他一切の表現の自由は、これを保障する」と明記しています。それは「表現の自由」こそが、民主主義の根幹であるからに他なりません。この権利は宗教的な権威や政治的支配に立ち向かうことで勝ち取られてきたものです。私は必ずしもシャルリーの表現にくみするものではありませんが、表現の自由に限って言えば、「私はシャルリー」なのです。

（『講演録』二月号）

安倍外交に難題

首相就任以来、精力的に外遊を続け、国際的にも存在感を高めてきた安倍首相ですが、どうも国際環境には恵まれません。力を尽くしてきた日ロ、日朝関係は、関係改善への一歩が相手国の対外強硬路線によって宙に浮いています。そして今回の欧州・中東訪問は、「イスラム国」からの日本人人質殺害脅迫による二億円要求という大事件に遭遇しました。世界の注目が集まる中、従来の人命尊重一辺倒では解決不能な難題にどう立ち向かうのでしょうか。

（同）

政治の責任

消費税率引き上げが延期され、財政健全化についての議論が再び賑やかになっています。そこで気になるのは、多くの試算が既存の枠組みを前提にして将来の財政支出増を見込んでいることです。行政のなすべきサービスを質量ともに落とさずに維持すれば、少子高齢化の進行とともに社会保障費が膨らんでいくことは間違いありません。

現役世代が、現役から退いた高齢者の生活を支える仕組みはすでに合理性を失いつつあります。現役世代の負担が増え続け、制度そのものが破綻することが避けられないでしょう。行政サービスのあり方にメスを入れずに、増税のみで対処すれば、消費税率は二五％程度まで上げなければならないと言われています。また税とは別に現役世代が負担している健康保険等の保険料率は年々引き上げられており、雇用者の負担増や勤労者の可処分所得の減少によって、経済の活力を低下させています。今しなければならないのは、既存の枠組みを根本から見直すことです。

国民の多くが納得する新しい枠組みの再設計にあたっては、すべての人が享受する行政サービスの範囲を絞り込まなければなりません。すでに国家予算の規模は歳入のほぼ倍に膨れあがり、その差額が国債、すなわち国の借金で賄われているのです。こんなずさんなやりくりをしていれば、企業も個人もあっという間に破産してしまいます。健全な家計を維持するためには、収入の範囲内に支出を切り詰め、返済の目途が立たない借金はしないことです。その当然の常識は国も全く同じはずです。

行政サービスの絞り込みは官僚に委ねるわけにはいきません。仕事をしている当事者に自らの仕事を損なうような決定ができるでしょうか。それこそが行政府の責任者である政治家の役割です。大きな方向転換を政治が決定しなければ官僚は動きません。行政の制度的な無駄にメスを入れられ、新たな枠組みが決まれば、詳細の設計は官僚の仕事です。

国民の多くが今のままでは制度が破綻することに気づいています。納得のいくサービスや給付水準の低下であれば、受け入れるはずです。しかし、現状はすでに決められている僅かな負担増に対しても反対する勢力があり、それを受け入れてしまいがちな行政が存在します。さらに、負担増の苦しみをことさらに報じるメディアが存在します。これは無節操な既得権益の擁護でしかありません。

安倍首相は戦後レジームからの転換がお好きのようですが、行政府の責任者としてまずなすべきは、戦後続いてきた行政制度の枠組みを将来も維持可能な姿に組み替えることです。それこそが政治に求められている喫緊の課題ではないでしょうか。

（『講演録』三月号）

天気予報の悪癖

最近の天気予報は、どうもことさらに大変さを強調しすぎるように思われてなりません。今年も大雪予報を真に受けて翌日の全便欠航を早々と決めたにもかかわらず積雪はほとんどなかった事例がありました。去年もＪＲが早々に翌日の運転見合わせを決めて顰蹙を買いましたが、今年は平常運転でした。予報はあくまでも予報です。降るかもしれないし、降らないかもしれない。大切なのは自ら考えて行動することでしょう。

（同）

「痩せ願望」のリスク

最近の日本社会には、肥満を蔑視あるいは敵視する空気が充満しているように思われます。この風潮を利用し、助長しているのが、次々に出版されるダイエット本やダイエット番組の放映です。加えて、肥満対策グッズや医薬品、サプリメントのＣＭの氾濫が、あたかも肥満が罪であり、悪であるかのような空気を醸成しています。もちろん、こうした風潮を逆手にとった「デブタレ」も人気を集めていますが、これは「あの人たちよりマシ」という安心感を与えてくれるからでしょう。

しかし、肥満は本当に悪であり、敵視すべきものなのでしょうか。かつては、太鼓腹はニッポン男子の勲章でした。それなりの年齢に達しても痩せている人は「貧相」と言われて肩身の狭い思いをした時代がありました。たしかに人並み外れた肥満は「デブ」と呼ばれて揶揄の対象でしたが、日本人がすべからく痩せていなければならないと感じさせる空気が醸成されたのはごく最近のことのように思われます。

この傾向を決定づけたのは、メタボリックシンドロームの予防を厚生労働省が政策として強力に推進し始めてからです。内臓脂肪型肥満に加えて、高血糖、高血圧、脂質異常のうちいずれか二つ以上をあわせもった状態が、メタボリックシンドローム（内臓脂肪症候群）です。二〇〇八年四月から、これに着目した四〇歳以上の被保険者・被扶養者に対する健診・保健指導の実施が医療保険者に義務化されました。

それは内臓脂肪型肥満を共通要因として高血糖、脂質異常、高血圧が引き起こされる状態で、それぞれが重複した場合は命にかかわる病気を招くことがあるという考えに基づいています。

しかし、二月二〇日の講演で大櫛先生が指摘されたように、高血圧や脂質異常の診療基準には大いなる疑問が存在しています。そうであるなら、メタボリックシンドロームとは、むしろ過剰な痩せ願望を作り出すシンドロームというべきでしょう。

この風潮は日本社会に深刻な問題を引き起こしつつあります。厚生労働省がまとめた二〇一三年の国民健康・栄養調査によると二〇代女性の五人に一人が普通体重を下回る「痩せ」であり、二〇代女性の平均エネルギー摂取量は北朝鮮の二一〇〇kℓを大きく下回る一六二八kℓに止まっています。生活に必要な最低限しか食べない女性は、健康の維持、妊娠、出産に深刻なリスクを抱える可能性があります。次の世代を担う若い女性の健康を考えるなら、肥満対策よりも「痩せ願望」の撲滅こそが重要でしょう。


（『講演録』四月号）

利用者に阿るメディア

講演会では内外の重要な問題を第一人者の先生方に語っていただいています。しかし、日本の大手メディア、とりわけテレビでは、視聴者が興味を持つと思われる内容、つまり視聴率のとれるテーマ以外はできるだけ排除しようとしているようです。その結果、どこのチャンネルを回しても同じような番組が並び、バラエティ番組が中心時間帯を占拠してしまっています。ニュース番組のバラエティ化も進んでおり、ニュースの正確な分析よりも、視聴者受けするコメントを歯切れよくしゃべるコメンテーターがもてはやされています。

（同）

見たくないものは見ない

最近観た映画『ソロモンの偽証・後編』のラスト近くで、「見たくないものは見ない」ということが悲劇を引き起こしたのだというセリフに出合いました。まさしく現在の日本の抱える病弊を見事に表現した言葉に感銘を受けました。四月三日の講演の中で寺島実郎さんも指摘されていましたが、日本社会全体に「見たくないもの」から目を背ける時代の空気が充満し、それを敏感に受け止めて迎合するマスメディアがその傾向を助長しています。

中国や韓国が声高に叫ぶ「歴史認識」にも大いに問題があることも事実でしょう。しかし、日本人自身が犯した罪について真摯に検証し、その過ちをもたらした原因を究明することが、他ならぬ日本人自身にとって何よりも重要です。昨年一一月末に急逝された松本健一さんは著書『日本の失敗』(東洋経済新報社刊)の中で、どのようにして日本が中国侵略の泥沼に踏み込んでいったのかを緻密に検証しました。近年、松本さんのように全体像を丁寧に分析するのではなく、日本軍の行動を弁護するための「証拠」のみを発掘し、侵略はなかったかのような歴史の見直しが流行しました。しかし、そうした自己満足はむしろ日本の尊厳を傷つけ、国際社会における日本の未来を損なう結果しか生まないでしょう。

日本のメディアが購読者や視聴者が歓迎するであろう内容の記事や番組に偏りがちであることはかねてから指摘されてきたことです。一九八〇年代に某大手新聞の編集委員をされていた方からお聞きしたことですが、アメリカに駐在すると当初は現地で起きている重要なニュースを一生懸命取材して本社に送るのだが、まったく採用されない。本社からは、日本人が読みたい内容の記事だけを送ってこいと言われ、すっかり意欲を失って日本人の好みそうな話題を探してお茶を濁すようになるのだと教えてくれました。

既存メディアはインターネットに押されて次第に存在感が薄れつつあります。政府や官公庁の情報を記者クラブによって独占することで得てきた地位に安住していられた時代は終わりつつあります。既存メディアが生き残っていくために必要なのは、自ら隠された真実を発掘し、高い見識をもって社会に警鐘を鳴らす能力でしょう。大衆迎合ではなく、「見たくないものを見る」良質の市民に受け入れられるかどうかが重要なのです。

昨今、自信を失った日本人を鼓舞するかのような番組をよく目にします。しかし、自己満足から新しい未来は生まれません。おかしいことはおかしいと言う当たり前の勇気が必要なのです。

（『講演録』五月号）

民間活力を取り戻せ

グローバル化の進展により、経済の変動はより激しく、そして素早く動くようになっているようです。新興国群の台頭により、そのうねりは一段と大きなものになっています。日本が一流国として生き残っていくためには、これまで以上に変化を恐れずに未来に目を向けて新しい事態に挑戦していくしかありません。戦後の日本経済の発展は、何よりも民間の産業界がひたすら前に進むことによって、不可能を可能にしてきたからです。今必要なのはその活力を取り戻すことではないでしょうか。

（同）

企業家精神

旧安田財閥の創始者である安田善次郎は、卓越した金銭感覚と将来性がないと判断した事業に対する厳しい姿勢から「しまり屋」と揶揄されました。しかし、自らが将来性を認めた事業に対しては支援を惜しみませんでした。後に日本有数の工業地帯に発展する京浜地区の埋め立て事業への支援もその一つです。

この時、善次郎は自らの足で埋め立て予定地を歩いて実地調査を行い、資金援助を決断しました。さらに、後にこの地区に高炉を建設することになる日本鋼管への出資も、継承者の反対を押し切って行いました。事業の成否を自らの目で判断し、いったん決断すればあえてリスクをとることを辞さない企業家精神がみてとれるのです。

日本の近代国家としての発展は、まさにこうした企業家精神によって成し遂げられてきました。企業が事業活動を通じて獲得した利益を新たな成長分野に再投資し、金融機関が国民から集めた預金を有望分野に融資することで、国民経済は発展をしていくのです。お金を貯め込むだけで投資をしようとしない経営者は、企業家としての魂を失ったゾンビのような存在でしかありません。

市場の成熟や少子高齢化によって成長機会が失われつつあるといった退嬰的な議論

もよく聞かれます。しかし、豊富な資金と蓄積された技術を生かすことのできる成長の機会はいくらでも見つけることができるはずです。社会の制約は社会の変化を生み出し、社会の変化は新たなニーズの温床となります。バブル崩壊後に起きた企業家精神の委縮こそが、内外の成長機会への投資をためらわせ、失われた二〇年と日本経済の衰退をもたらした元凶なのではないでしょうか。

重要なことは変化を恐れず、変化を自らの成長に結びつけようとする前向きの精神です。すでに存在する既存分野にしがみつくのではなく、社会の変化が生み出す新たな事業機会に向けて一歩を踏み出す勇気が必要なのです。そして、その決断を下すのは経営陣です。もし成長戦略という政策が存在するとすれば、それはそうした決断を促し、背中を押すための環境整備でしょう。企業家は自らの責任においてリスクをとらなければならないのです。国がその替りをすることはできません。国家主導の経済がいかに悲惨な結果を招いたか。停滞する経済からの脱出が市場経済への転換によるものであったことは、新興国の発展が証明しています。沈み続ける日本経済の地位を回復させるためには、日本企業が企業家精神を取り戻し、民間の経済活動を活発化させることで、成長の原動力を回復させるしかないでしょう。

（『講演録』六月号）

気になる若者の安定志向

今年は大学生の就活がきわめて順調で、すでに内定率が九六％を上回りました。失われた二〇年の就職氷河期が大量の就職難民を生み出し、ひいては、結婚や出産の困難をもたらして少子化を加速させたことを考えると、若い世代に働き口が用意されていることは、とりあえず日本社会の将来に希望をもたせてくれる明るいニュースです。ただ、気になるのは、就職希望先が相変わらず、大企業や有名企業に人気が集中していることです。長い閉塞の時代が安定を求める時代の空気を創り出したことは確かでしょうが、これからの日本に必要なのは安定よりもリスクに挑戦する志だと思うのですが。

（同）

映画雑感 ㊂

まず『バンクーバーの朝日』。第二次大戦前にカナダの野球リーグで活躍した日系二世の野球チーム「朝日軍」の実話に基づくお話です。日本人街を舞台に、現地の人たちと溶け合おうとしない移民一世と現地に溶け込もうとする二世との確執、そして抜きがたい人種差別。しかし、そうした閉塞感の中で、弱小チームの若い選手たちは、俊敏さと知恵を武器に体格に優れた現地チームを打ち破り、やがて現地の人たちにも受け入れられて人気チームになっていきます。しかし、すべては第二次大戦勃発によって崩れ去ります。チームが強くなることで見えてきた光明が突然断ち切られる理不尽。事実のみが持つ重い現実が若い俳優陣の熱演で甦ります。

春に女生徒たちが主役の映画を続けて見ました。『くちびるに歌を』は離島に赴任してきた元有名ピアニストの音楽教師と女生徒たちが合唱コンクールで優勝を目指します。中学生たちのまっすぐな熱意が、不幸な事故で音楽と向き合えなくなっていた教師を再生させていきます。『幕が上がる』は演劇部が全国コンクールに挑戦する話。元学生演劇の女王として鳴らした女教師が女生徒たちを鍛え直しますが、コンクールを前に教師は舞台に復帰するために学校を去り、生徒たちが教えを胸に自主的に奮闘を続けます。平田オリザの青春小説を『踊る大捜査線』の本広克行監督が映画化。人気グループの桃色クローバーZの五人を主役に抜擢し、女教師役には学生演劇からカンヌで主演女優賞を獲得した黒木華を起用して、躍動感と緊張感のある爽快な青春映画に仕上がりました。

そして『ソロモンの偽証』前・後編。中学校を舞台に、屋上から転落した男子生徒の死の真相を、学校裁判という仕掛けで探っていきます。ここでも中学生を演じる若い俳優たちが好演、中でも映画初主演の女子生徒の清冽な存在感が光ります。

思いがけない収穫は『ビリギャル』でした。劣等生が慶應を目指すという実話が原作ですが、教育の抱える本質的な問題や小論文の指導の際に指摘される新聞記事の捉え方など、思わずうならされるリアリティが映画を引き締めています。

河瀬直美監督の『あん』は期待を裏切らない出来栄え。小さなどら焼き屋を舞台に、突然現れた老女があんづくりの腕を買われて雇われ、どら焼きは人気を集めますが、やがて彼女が元ハンセン病患者と分かり客は激減します。心に傷を抱えた店主と家庭に居場所のない常連客の中学生は元ハンセン病施設を訪れ、行き場のない患者たちの姿を通じて生きる意味を見出していきます。老女役の樹木希林の怪演と実の孫である中学生の初々しい演技、そして店主役の永瀬正敏の抑えた演技が見事なハーモニーを醸し出します。


(『講演録』七月号)

見えない安倍首相の憲法観

国会が九月末まで延長され、今年は安全保障問題を巡る熱い夏になりそうです。安倍政権の憲法に関わる動きは、憲法改正を正面から提起するのではなく、集団自衛権の解釈変更と安保関連法案の整備を優先させるという「名より実を取る」方向で進んでいます。しかし、与党推薦の参考人にまで「違憲」と指摘され、議論は迷走気味です。

加えて、安倍首相の悲願である憲法改正の発議はあくまでも国会と国会議員が行うものので、行政府には提案権がないとのこと。自民党の憲法調査会に委ねざるを得ないでしょう。しかし、悲願であるのなら、どこをどのように変えたいのか、それを国民に堂々と表明し、理解を求めるべきでしょう。そうでなければ、「自前の憲法をつくりたい」と言った感情論だけで中身には興味がないのかと疑われても仕方がないでしょう。

（同）

言論の危機

日本国憲法第二一条は、第一項で「集会、結社及び言論、出版その他一切の表現の自由は、これを保障する」と規定し、第二項で「検閲は、これをしてはならない。通信の秘密は、これを侵してはならない」と定めています。これは、民主国家において、権力からの言論の自由が、権力を監視し、権力の暴走を抑止するために欠かすことのできない権利だからです。表現の自由が保障されない体制は、とうてい民主国家とは呼べないでしょう。

この憲法の条文には、第二次大戦下における言論抑圧と、その結果として生まれた愚かしくも哀しい日本の暴走に対する深刻な反省がこめられているように思われます。戦後七〇年を迎えて日本のメディアがまずしなければならないのは、メディア自身がかつて何を行い、何を行い得なかったかを自ら検証することでしょう。戦争の悲惨さを伝える前に、それを防ぐことができなかった言論へのメディアの側からの深刻な反省と、悲劇を繰り返さないための覚悟が示されなくてはなりません。

集団的自衛権に関する憲法解釈の変更に始まり、安全保障関連法の整備にいたる安倍政権の戦略は、参考人として呼ばれた憲法学者の違憲判断の表明と、その後に突如浮上した自民党若手勉強会におけるメディア批判によって、世論を敵に回してしまいました。安保関連法案の是非を云々する以前に、安倍政権とその周辺を取り巻く議員たちの民主国家に対する基本的な認識の欠如が浮き彫りにされ、本来は法整備に賛成であった人たちをも失望させることになりました。

官邸と自民党によるメディアに対する恫喝は、メディアの委縮をもたらしています。特にテレビ番組において、本質に斬り込む企画が影を潜めてしまいました。放送法をちらつかせる形で行われた恫喝にここまでメディアが委縮してしまう姿は、メディアの衰弱を象徴するものでしょう。メディアの衰弱はまさしく民主主義の危機につながりかねません。良質で冷静な議論ではなく、レッテル貼りと声高なアジテーションに終始する状況からは前向きの変化は生まれません。民主的な議論の涵養にまず責任があるのは、問題を提議した現政権ですが、それを引き出す責任はメディアの側にもあります。

件の若手勉強会は「文化芸術懇話会」と言います。芸術と政治を同一視し、芸術を利用することで国民を大きな過ちに導いたのがナチスドイツのアドルフ・ヒトラーですが、この勉強会はヒトラーに学ぶことを広言しているとの証言があります。お粗末で醜悪な歴史認識しか持てない集団を生み出してしまった不明を同じ日本人として恥じるばかりです。

（『講演録』八月号）

置き去りの国民理解

安全保障関連法案が自民・公明両党による賛成多数で衆院を通過し、九月中の成立がほぼ確実になりました。長時間の審議の中で、法案が国民の理解が得られたのかといえば、安倍首相自身が認めるように未だしの感があります。紋切り型の答弁に終始していては、真の理解は得られません。本来であれば、安全保障に対する国民の理解を高める絶好の機会であったはずであり、そのことが政権にとっても最重要の課題であったはずですが、残念ながら、そうした認識が安倍政権とそれを取り巻く人たちに

は著しく欠けていたように思われます。（同）

歴史認識とは何か

今号では夏季特別企画として、昨年に続いて経済倶楽部創設のすぐ後に『東洋経済新報』誌上に掲載された座談会を再録しました。今年は、安倍首相の「戦後七〇年談話」がどのようなものになるかが、早くから注目されてきました。近代国家として先進国と肩を並べるところまで発展した日本が、何故無謀な戦争に突入して無残な敗戦にいたらなければならなかったのか。安倍談話の下敷きとなった有識者会議の報告書は「満州事変後に侵略を拡大させた」と指摘していますが、その満州事変勃発の年に当経済倶楽部は創設されました。座談会は翌年三月、満州国が建国された直後に行われ、その二カ月後に五・一五事件が起きています。まさに日本がファシズムへと急速に傾斜していく中で企画された座談会でした。

この座談会で石橋湛山は司会に徹しており、自らの見解はほとんど述べていません。同席していた三浦銕太郎（当時前主幹、経済倶楽部初代理事長）も発言しませんでした。左右の論客たちに自由に発言させることでファシズムがいかにして生まれ、どのように育っていくのか。そして日本もまたその危険を大いに孕んでいることを浮かび上がらせたのです。最後の謝辞の直前に「北君のは軍国主義なんだから」と述べられた言葉が、石橋の心情をうかがわせる唯一の発言です。

三浦主幹時代の『東洋経済新報』は日露戦争後に「満州放棄か軍備拡張か」、「大日本主義か小日本主義か」といった論説を通して、大陸における権益の拡大と軍備の増強を早くから批判してきました。これを受け継いだ石橋主幹は、「一切を棄つるの覚悟」、「大日本主義の幻想」などの社説で軍備増を伴わざるを得ない植民地経営がいかに理に適っていないかを論証しただけでなく、「今後はいかなる国といえども、新たに異民族又は異国民を併合し支配するが如きことは、到底できない相談なるは勿論、過去において併合したものも、漸次之を解放し、独立又は自治を与うるほかないことになるであろう」と結論付けました。

過去の植民地支配を正当化し、軍国主義をやむを得ない防衛的な選択として擁護する言説がいまだに後を絶ちません。しかし、第一次大戦後の世界において、すでに帝国主義と植民地支配に対する批判と反省の潮流が生まれていたことは歴史的事実なのです。そうした潮流をいち早く見通すことのできなかった不明を恥じ、過ちを繰り返さないためにも、自らの国がなぜファシズムに傾斜していかなければならなかったかを自ら検証し、学び続ける必要があるのではないでしょうか。

（『講演録』九月号）

暑さ対策に自然の力を

今年も暑い夏になりました。記録的な猛暑とゲリラ豪雨などの異常気象には、やはり地球温暖化の影響があると考えた方がいいのでしょう。特に都市部においては、コンクリートとアスファルトに蓄積した熱によるヒートアイランド現象が高温に拍車をかけています。二〇二〇年東京オリンピックに向けて、科学技術を利用した暑さ対策機器の開発が進められているようですが、今一番求められるのは自然の力をもっと活用することです。水辺と木陰の存在が涼を呼ぶことは昔から知られています。都市部においても、より積極的に植樹を進めて木陰を増やし、暗渠化してしまった水路を復活させれば、涼風の吹き抜ける住みやすい街が戻って来るはずです。そして前回オリンピックの時に架けられてしまった日本橋を覆っている醜悪な道路も、この際撤去してほしいものです。

（同）

権力は腐敗する

中国経済の想定を上回る減速が、世界の経済に深刻な打撃を与えています。基本的には共産党による一党独裁の国だから政府が何とかするだろうといった楽観論は、さすがに影を潜めています。市場を通じた効率的な資源配分こそが健全な経済発展の基礎であるとする考え方は、近代以降の自由主義圏における共通認識です。一時は米国と並ぶ大国となったソビエト連邦は、国家社会主義に基づく経済の不効率が表面化したことで崩壊しました。一方、中国は共産党による一党独裁体制を維持しながら、経済面では市場経済を導入することで発展してきました。しかし、世界第二位の経済大国にのし上がったことで、皮肉なことに国家管理体制の矛盾がかえって表面化しつつあるといえるでしょう。

天津における化学工場倉庫の爆発事故と、その後処理を巡っては、こうした国家管理の限界が如実に示されました。そこに何が貯蔵されているかを知らずに消火活動に当たったことで、事態はさらに悪化しました。何よりも危険物のずさんな管理と、その情報が公開されていなかったことが、そもそもの原因です。民主国家であれば、すべての情報が公開され、国民の目の前で対策が検討されます。しかし、天津では、魚が大量死する現実を目の当たりにしても、行政当局は「安全」であると繰り返すだけでした。

習近平政権の反腐敗キャンペーンは、現政権の権力基盤を強化する上で一定の成果を上げていると言われてきました。しかし、腐敗を撲滅し、社会経済の健全化に役立っているかどうかは、はなはだ疑問です。なぜなら、腐敗は権力の集中と自由な言論の封殺によって生まれるからです。権力は必ず腐敗します。それを防ぐ手段は、権力の交代と情報の透明性の確保しかありません。

中国は経済大国に発展したことで、テクノクラートによる政策運営がもはや限界に達しています。何よりも巨大化した市場は、それ自体の論理に従って動きます。無理な市場介入は、かえって市場からの反撃を招くことになります。元安誘導に始まった新経済政策は、資金の流出を招き、それを防ぐための強引な対策はさらに市場の信頼を損ねる結果になりました。権力はもはや市場を破壊することにしか使われていないのです。

市場経済の健全性は透明性と説明責任によって担保されます。そして市場経済の効率性に対する信頼を市場参加者が共有していることが重要です。日本においてもその点がいささか曖昧であることが、日本経済の復活の足かせとなっています。この国の住人は、何かというと国に頼ろうとする、からです。日本の政治体制は民主化されていますが、経済はかなりの部分が国家管理の下にあり、依然として不効率と腐敗が進行し、国民全体のためでなく、既得権益者の利害が優先されています。中国を嗤うことは、天に唾するようなものです。

（『講演録』一〇月号）

等閑視される難民対策

シリアからの大量難民の流入でヨーロッパが大きく揺れています。人道の観点からは、難民の受け入れは当然努力すべきことだと言えるでしょう。ヨーロッパのみならずすべての国連加盟国がその努力を分かち合うのは当然です。日本のメディアは、難民流入に揺れるEUの対応と、困難に直面している難民の状況を情緒的に報道していますが、自国の分かち合うべき責任については、口を閉ざしています。日本の安全を守るのは、世界に開かれた、そして世界に貢献する国であることです。さらに言えば難民の受け入れは新しい成長機会の創出にもつながります。ここでもドイツの独り勝ちになるのでしょうか。

（同）

理にかなうということ
——ジャーナリスト石橋湛山の思想——

ジャーナリストとしての湛山は、事実とデータを積み重ねることによって、もっとも理にかなった結論を導き出し、健全な経済社会の発展のためにいかなる方策を講じるべきかを論じたジャーナリストでした。権力におもねることなく、しかし、批判のための批判や反対のための反対を排し、常に最良の選択がどうあるべきかを説いてやみませんでした。その結論がいかにその時代の大勢からかけ離れていようと、憶することなく堂々と自らの主張を貫いたのです。

「一切を棄つるの覚悟」（大正一〇年七月二三日号）、「大日本主義の幻想」（大正一〇年七月三〇日・八月六日・八月一三日号）は、大陸における権益の拡大と植民地経営の推進に反対する論説でしたが、それは植民地経営がいかにコストパフォーマンスの悪いものであるかを論証しただけでなく、第一次大戦後の世界の潮流が民族自決の方向へ動いていることを踏まえ、異民族を支配することが良い結果を生まないことを論理的に主張したのでした。

一方で思想と言論に対する国家統制が厳しさを増す中で、言論の絶対的自由を主張しました。自らの言説において当時の社会では異端であっても堂々と論陣をはっただけでなく、最右翼から最左翼まで、対立するあらゆる言説に真摯に耳を傾け、その主張のなかに存在する正当性をすくい上げてそれを社会の発展に結び付けるべきであるという立場を貫きました。

「言論を絶対自由ならしむる外思想を善導する方法は無い」は、昭和八年の第四次日本共産党検挙を受けて書かれました。「社会の欠陥をそのままにして、その欠陥を拒絶し改革することを志向とする思想を撲滅しようとしたとて出来ないのは当然である」として言論の封殺が、何者をも生まないばかりか、社会の発展を阻害することを明快に説いたのです。

その一方で、言論の衰弱にも厳しい眼を向けることを忘れませんでした。現代の日本のメディアは、読者や視聴者が歓迎する報道に走りがちです。事実をありのままに報道する客観報道を標榜しながら、取り上げるニュースの選択や取材内容の選択、解説を通じて、結果的に主観報道に走ることが少なくありません。

自ら作り上げた結論に導くための言論ではなく、あらゆる見解と事実を検証し、何が健全な社会の発展のために必要であるかを自らの言葉で語る姿勢を、湛山に学ばなければなりません。

情報の受け手の立場からは、メディアを通じて目に見えているものが必ずしも真実ではないことを、常に意識しておかなければならないでしょう。多数の人が信じていることやメディアが報じていることが正しいとは限りません。むしろ異端とされる少数意見にこそ時代を超えた正論が存在するのです。

（一〇月立正大学シンポジウム）

「一億総活躍」の危うさ

安倍内閣の改造に当たって、「一億総活躍」担当の大臣が任命されました。アベノミクス第二ステージの「新三本の矢」の最大の目玉が、これから加藤担当大臣が取りまとめる「一億総活躍」プランです。具体的には、女性や高齢者、障害者の働く環境を整えることで、働く意欲のある人の雇用を増やし、潜在成長力のかさ上げを図ろうということのようです。

「新三本の矢」の中身を云々する前に、まずこの「一億総活躍」という表現を得々として打ち出したセンスに首をかしげざるを得ません。あの悲惨な戦争の末期に、時の為政者は、「神州不滅、一億玉砕」を国民に呼び掛け、敗戦に際しては「一億総懺悔」を打ち出しました。無謀な戦争に国民を駆り立てた反省を一顧だにすることなく、為政者の責任を棚に上げた、見事なまでに無責任かつ無神経な標語が、この国では唱えられたのです。

全国民を十把一からげにした政策は全体主義の発想です。何かにつけて、戦後の民主化を疑い、悲惨な結果に終わった旧憲法下の体制を擁護する政治家が、安倍政権には見え隠れしています。七〇年後の今、過去の過ちに眼をふさいで、「一億総活躍」と言い切ってしまうセンスは、確かにこの内閣にふさわしいものかもしれません。

アベノミクスの「三本の矢」については、第一の矢である「大胆な金融緩和」と第二の矢である「機動的な財政出動」がとりあえず一定の成果を上げたと言えるでしょう。しかし、第三の矢である「投資を喚起する成長戦略」には見るべき成果がありません。安倍首相がダボス会議で大見得を切った、ドリルで岩盤を突き崩すことが実現できたとは到底言えないでしょう。しかし、これまでに何度も打ち出されてきた成長戦略の成否を検証することなく、今回新たに新三本の矢が打ち出されたのです。

善意に解釈すれば旧三本の矢の積み残しは新三本の矢に受け継がれたと考えられます。それが「一億総活躍プラン」と言うことなのでしょうか。第一の矢「希望を生み出す強い経済」、第二の矢「夢を紡ぐ子育て支援」、第三の矢「安心につながる社会保障」のいずれもが、単なる政策目標であって、具体的な政策そのものではではありません。そこが前回の三本の矢と根本的に違うところです。そもそも一人一人の国民がどのように活躍するのか、あるいは活躍しないのかは、まさに国民が自ら選択することです。国民主権の民主国家において、為政者が心がけるべきなのは、全国民に活躍を強いるのではなく、活躍を望む国民のために環境を整えることです。そこに「一億」という掛け声は不要なのです。

（『講演録』一一月号）

他人事ではない不祥事

次第に秋が深まってきました。晴天が比較的多く、どちらかと言えば、穏やかな天気が続いていますが、朝晩はめっきりと冷え込むようになりました。

産業界ではVWのデータ改ざん問題が世界を揺るがす大事件に発展しましたが、国内でも東芝の不適正経理問題に続いて、旭化成の子会社による手抜き工事とデータ改ざんが世を騒がせています。常識では考えられない不祥事がなぜ後を絶たないのか。最優先事項であるべきコンプライアンスが、簡単に無視されてしまうのが現実です。もって他山の石となる心構えが重要でしょう。

（同）

浅薄弱小を排す

ニュースの情報源として、新聞ではなくスマホやパソコンなどインターネットに求める人が増えています。米国の調査では二〇〇八年に初めてインターネットが新聞を抜きましたが、日本においても現状は同じであると考えていいでしょう。日米ともに情報源のトップはテレビですが、米国ではニュース専門チャンネルの人気が高く、地上デジタルのニュース番組が中心の日本とは事情が異なります。日本のニュース番組ではコメンテーターに短時間で結論だけ話させるケースが多く、安易にそれを真実として刷り込まれてしまう危険があります。新聞を読まない世代が増えている現状を考えると、物事をきちんと見極める能力を持つ国民を育て、健全な世論の形成をインターネットがどこまで果たすことができるか。まだその道筋は見えていません。

「実に我が国今日の人心に深く食い入っておる病弊は、世人がしばしば言う如く、利己的になったことでも、打算的になったことでも、不義不善に陥っていることでもない。むしろあまりに利他的の人の多く、あまりに非打算的の人の多く、あまりに義人善人の多いことに苦しみこそすれ、決してこれらが少ないとは思わない。我が国現代の病弊は、何事につけても『浅薄弱小』ということである」

石橋湛山は明治四五年「哲学的日本を建設すべし」の中でこのように述べています。この言葉はまさしく「現代」の日本の言論状況を言い当てているように思われます。

それでは現代の人心が何故にかく浅薄弱小に至ったか。湛山は「哲学がない」、言い換えれば、「自己の立場についての徹底せる智見が欠けている」故だと指摘します。哲学はもっとも徹底的に自己を明らかにするものであり、その明瞭になった自己から出発して新しい日本を建設すべしと、説いたのです。

健全な民主社会が成立するためには、深く物を考え、判断を下すことのできる国民と政治家が必要です。浅薄弱小の議論に惑わされた国民と政治家は、やがて軍部独裁を呼び込むことになりました。自己を徹底的に明らかにした自立した市民の存在こそが、かつてのような誤りを犯さないための防波堤になるでしょう。メディアはそのことを肝に銘じなければなりません。

国民主権を選挙によって保障された代議制においては、いつも正しい選択が行われるとは限りません。賢明な市民が大勢を占めていない社会では、一部の既得権益集団におもねる政治が、民主主義への失望を生み、独裁体制に権力を委ねる誘惑にかられる危険を常にはらんでいます。

(『講演録』一二月号)

求められる覚悟

パリで勃発した同時テロ事件は、欧米のみならず世界経済に深刻な打撃を与えています。グローバル経済の発展の基盤であるヒト、モノ、カネの自由な移動が著しく阻害されるからです。中東における混乱がもたらした大量難民の流入問題の解決は、テロがもたらしたリスクによっていっそう解決が困難になっています。日本も世界と問題を共有するための覚悟が必要でしょう。

(同)

二〇一六年

映画雑感 ㊃

昨年六月から一一月までに公開された邦画作品から。まず呉美保監督の『きみはいい子』。児童虐待という重いテーマでありながら、様々な事情を抱えた加害者と被害者の双方が僅かなきっかけから光を見出していく過程を丁寧に、そして真摯な眼差しで映像化しました。子役たちの自然な姿とそれに触発されたかのような大人たちの演技によって好ましい作品に仕上がっています。

『トイレのピエタ』は手塚治虫氏の日記に遺された構想を下敷きにした松永大司監督の意欲作。胃がんに侵された元美大生のフリーターが不思議な少女に出会い、最後は病院を抜け出してトイレにピエタを描いて死んでいきます。どこかあの『知られざる傑作』を想起させる味わいがありました。

『愛を積むひと』はアメリカの小説『石を積むひと』を北海道美瑛に舞台を移して

映画化。北国の厳しい自然が違和感のない物語を紡いでいます。妻の願いを受け入れて移住した初老の元工場主は、亡き妻からの手紙と、石を積むという行為を通じて、行き場のない若者を立ち直らせ、自らも再生していきます。

今年は戦後七〇年の節目とあって戦争と戦後を振り返る映画も幾つか製作されました。その中で戦時下の市民の暮らしと心情をリアルに描いた『この国の空』は、七〇年の時を経て生まれた新しいタイプの戦争映画と言えるでしょう。ひたすら日常を追う中で、戦争がいかに人間の日常生活を蝕み破壊していくのか、その実態を淡々と浮かび上がらせていきます。

『アットホーム』の仲良し家族は実は詐欺師の男女と家族に捨てられた子供たちが肩を寄せ合う疑似家族でした。幸せを求めて奮闘する一家はやがて危機に陥ります。嘘の上に成立している家族のあり様が家族の本質を気づかせてくれます。

『ポプラの秋』と『岸辺の旅』。秀作『夏の庭』と同じ湯本香樹実の小説の映画化作品。『ポプラの秋』では、心を病んだ母と田舎にきた少女が、大家の厳しい老女との交流を通じて人間として成長していきます。本田望結と中村玉緒の真剣勝負は見応え十分。一方、『岸辺の旅』は旅先で死んだ夫と旅に出る妻が夫の最後の数カ月に関わった人たちと触れ会うことで、真の別れを受け入れます。黒沢清監督が不思議ではあっても真実味に溢れた優しい世界を紡いで、カンヌ国際映画祭の「ある視点部門」監督賞を受賞しました。
『起終点駅　ターミナル』は、元恋人の死をきっかけに職も家族も捨てて逼塞する初老の弁護士が、覚醒剤使用に問われた若い女性を救う過程で自ら捨てた息子との絆を取り戻します。弁護士が成り行きで女性に振る舞う手料理が映画の展開に奥行きを与えています。はからずも「再生」がテーマの作品が目に付いた半年間でした。

（『講演録』一月号）

時代の変化に向きあう

新年を迎え、改めて日本の将来を考えずにはいられません。時代は年々変容を遂げていきます。われわれを取り巻く環境は、これまでにも増して大きく変化していきます。特に経済社会においては、ＩＴ技術の発展とインターネットが、産業革命以来の基盤を大きく変えつつあります。過去の栄光を棄てて、新しい問題意識で物事を捉え直さなくてはならない時代であることを、肝に銘じなくてはならないでしょう。

（同）

SMAP騒動の前近代性

今年の年の初めは株価の急落やスキーバスの転落事故、廃棄食品の横流しなど、歓迎しかねるニュースが相次ぎました。その中でも、あらゆる話題を圧倒してテレビをにぎわせたのが、アイドルグループSMAPの分裂・解散騒動です。スポーツ紙が連日トップで報道し、テレビのニュース番組も連日それをなぞる形でその帰趨を報じ続けました。そして一月一八日夜に放送されたこのグループのレギュラー番組の冒頭で、メンバー自身の口から、騒動についての謝罪と今後全員がそろって活動を続けていくことが語られ、騒動は一段落しました。

テレビ各局のニュースは、こぞってグループの存続を歓迎し、一度独立の動きを見せたメンバーの残留を事務所が認めたことを、いかに「芸能界の掟」、あるいはルールに前例のない異例の措置であるかを報じています。そして、一部では「裏切り行為」のペナルティとしてグループの活動の一時自粛もささやかれています。こうした一連の報道は、まさに笑止千万と言わざるを得ません。その理由は二つあります。

第一に、一連の騒動によってファンと関係先に迷惑をかけたとするならば、それを謝罪しなければならないのは、マネジメントの混乱によって騒動の原因を作った所属事務所の責任者であるはずです。担当マネージャーへの度重なるパワーハラスメントがあったことは週刊誌の報道で明らかになっています。だとすれば、経営幹部のごたごたに巻き込まれたメンバーは被害者であり、一連の騒動で世間を騒がせた釈明をすべきなのは社長と副社長たちに他なりません。

第二に、法の支配を前提とする民主社会において、契約の当事者は相互に対等の存在であることが原則です。当事者が契約内容に縛られることは当然ですが、契約期間満了後の契約の解除や変更を検討し、交渉することは当然の権利です。こうした動きを「裏切り行為」として権力を笠に着て阻んだり、ましてや独立後の活動を妨害したりすることは、まさに民主社会のルールを逸脱した反社会的行為そのものです。

これまでも所属事務所からの独立や移籍を巡るトラブルがもとで活動が不自由になり、場合によっては表舞台から消えて行ったタレントは枚挙にいとまがありません。古くは映画界における五社協定に始まり、テレビが娯楽の主役になってからは有力タレントを多数抱える大手事務所が所属タレントを自らの専有物であるかのように扱うようになりました。そうした権力の横暴を監視し、健全な社会の形成に資することが、メディア本来の役割です。前近代的な「掟」を無批判に許容し、真の責任者の責任を放置するメディアの言動はまさに噴飯ものです。

（『講演録』二月号）

国家管理の不毛

第二次大戦後の世界は、市場経済に基づく資源の適正配分が、国家管理による経済運営よりも効率的であることを証明してきました。もちろん市場の失敗を補完する仕組みを整備し、大資本による市場独占の弊害を除去し、市場経済から疎外された社会的弱者救済を実現することは必要です。しかし、いずれの分野においても国家管理に頼って問題を解決することは、不毛の結果を招くことになるでしょう。

（同）

憲法の危機

昨年来、安保関連法制を巡って「立憲主義の危機」が叫ばれました。しばらく聞かなかった「平和憲法を守れ」といったスローガンも復活し、来るべき参議院選挙における改憲勢力の三分の二議席確保の可能性が取り沙汰されています。しかし、大切なことは、あらゆる法律の上に存在するはずの現行憲法を国民と政治家がどのように理解し、尊重しているかです。

日本国憲法の成立の経緯について様々な見方があるのは事実でしょう。しかし、いったん国会において成立した憲法が尊重されないのであれば、民主国家における「法の支配」は成立しません。改憲を主張することは自由ですが、それが実現するまでは現在の憲法にしたがわなくてはならないのです。

安倍首相は世界に向けて、日本が人権を尊重する民主国家であることを誇らしげに語ってきました。日本国憲法は主権在民を「天皇の地位」の項で規定し、基本的人権としての自由権の尊重を最大限に掲げています。旧憲法である大日本帝国憲法との大きな違いがここにあります。例えば第二一条の「一切の表現の自由はこれを保障する」という条文は、国家（政府）が国民を欺き、メディアがそれに手を貸したことによって、悲惨な結果を招いた苦い経験を反映しています。しかし、自主憲法の制定を目指す自民党の憲法草案には、こうした自由権の制限につながりかねない規定がいくつも盛り込まれています。

憲法が保障している「自由」が侵されないためには、国民の側からの不断の監視が欠かせません。マスメディアに「言論の自由」を認めるのも、国民に代わって国家権力を監視する役割を付託されているからにほかなりません。メディアの発言がいつも正しいとは限りませんが、政府が放送法のような許認可権限を振りかざしてメディアを恫喝することはあってはならないことです。そして、そうした恫喝に屈するメディアの在り様は、すでに自らの社会的役割を放棄しているに等しいでしょう。国民が自らの在り様を自由に選択できることが、日本国憲法の基本精神です。家族のあり方や働き方に国が口を出すべきではありません。

日本が市場経済の国であることも安倍首相のご自慢の一つです。しかし、賃金の決定や設備投資の決定に対して政府が介入する姿は、まさしく社会主義国か全体主義国家の姿です。それは市場を通じた資源の適正配分をゆがめるものであり、それを無批判に報道するメディアは政府を監視する役割を放棄しているといえます。憲法の危機は深く静かに進行しているのです。

（『講演録』三月号）

不良債権のツケ

ドイツ銀行の信用不安に始まった欧米の金融市場の動揺は、日本銀行が踏み込んだマイナス金利政策の効果を一気に吹き飛ばしてしまいました。それどころかマイナス金利がもたらす副作用が金融市場のゆがみを拡大させる危険が増大しています。欧州金融の危機再燃はリーマンショックの後の不良債権処理を先送りした咎めが今になって噴出したものでしょう。中国は世界経済を支えるという身の丈以上の過剰投資に踏み込んだ後遺症を今後長く引きずるはずです。日本も安易な景気回復幻想を捨てて地道な構造改革に取り組まなくてはいけません。

（同）

気になる日本語

最近読んだ平岩弓枝『新・御宿かわせみ』シリーズに「姨捨山幻想」という話があります。このタイトルには「おばすてやま」と振り仮名が振られています。信州から「かわせみ」を訪れた老人客一行の中に姨捨に住む老婆がおり、その不審な行動の謎が明らかになります。高齢になった老人を山に捨てに行く棄老伝説は、かつて深沢七郎が『楢山節考』に描いて世に衝撃を与えました。そしていつの頃からか、うばすて山という誤った読み方が一般名詞として使われるようになりました。学生の頃に父がこの誤用を嘆いていたことを思い出します。うばすて山という表現は、『広辞苑』にも堂々と乗っており、編集者時代に後輩が「ウバステ山」と書いた文章を直すべきか否かしばし悩んだこともあります。

平岩弓枝の師である池波正太郎は、独壇場を使わずに独擅場と書いて「どくせんじょう」と振っていました。もともとの意味とはかけ離れた言葉を一般に定着していても、自らの文章では使うことを潔しとしなかったのでしょう。こうした不適切な言葉の扱われ方は当用漢字の制限をメディアに強制した文部行政にも責任があります。姨捨も漢字が使えないために誤ったかな表記が横行したのでしょう。

幼少期に愛読した人物伝の一つに源義経があります。義経は判官という官位を賜り、九郎判官と称されました。悲劇の主人公に味方する判官びいきのことばはここからきています。しかし、これを「ほうがん」と言わずに「はんがん」と言う人が圧倒的に多い。テレビでも当然のように使われています。義経ファンとしては誠に居心地の悪い思いです。これも『広辞苑』では当然のように掲載されており、本来はまちがいであったという注記もありません。

「悩ましい」という言葉の誤用について、小林信彦氏が週刊文春のコラムに書いておられます。本来は「官能が刺激されて平静でいられない」という意味なのに、最近は「悩みのタネ」という場合に使われて、政治家やコメンテーターが頻繁にこれを口にすること、辞書でも本来の意味が二義的な地位に追いやられていることを嘆いておられました。

テレビといえば、最近アナウンサーが敵役のことを「てきやく」と呼んでいるのを聞いてあきれました。聞き間違いかと思ったのですが、その後、何人ものアナウンサーが平気で使っていました。辞書でオーソライズされなければ良いのですが。

言葉は生き物だから時代によって変わっていくものだと鷹揚な学者もいます。しかし、誤用の定着を助長し、本来の意味や語源をきちんと記さない辞書はいかがなものでしょうか。日本の大切な文化遺産を後代の日本人が正しく理解できなければ、文化遺産は日本人の共有物ではなくなってしまいます。

(『講演録』四月号)

非常事態への覚悟

三月一八日に北朝鮮のノドンが日本海に向けて発射され、そのうちの一発が日本の防空識別圏内に落下しました。この日は辺氏の講演会の当日で、詳しく北朝鮮の危うい行動の背景や狙いを伺うことができたわけですが、防空識別圏への落下の重要性はメディアではあまり論じられませんでした。驚いたことにこの問題に一行も触れない大新聞もありました。政府は後になって破壊命令を出しましたが、もしこれが先制核攻撃であったら日本は甚大な被害に見舞われていたでしょう。

もとより、恐怖を煽ることは望ましくありません。しかし、もしもに備える覚悟は政府にも国民にも必要です。核とミサイルを手にしている追い詰められた指導者が何をするか分からないという現実から目を背けるわけにはいきません。

（同）

差別を放置した責任

今年になって、最高裁判所が行っているハンセン病患者の裁判を「特別法廷」で実施した事例が違憲に相当するかどうかの検証についての記事が新聞に掲載されました。本来は「火事や災害などのやむを得ない事由」と最高裁が認めた場合に限って設置される「特別法廷」が、ハンセン病患者の裁判については、規定に定められた手順を踏むことなく、一律に設置されていたことが明らかになってきています。

一九五八年に東京で開かれた国際ハンセン病学会において、隔離政策の破棄を、国に求めていますが、当時の厚生省は聞く耳を持ちませんでした。一九九六年四月の「らい予防法の廃止に関する法律」施行まで、隔離政策は続けられたのです。

ハンセン病に対する隔離政策については、二〇〇一年五月に熊本地裁が隔離政策を違憲として、元患者に対する賠償を国に命ずる判決を下しました。これに対し、当時の小泉内閣は控訴しないことを決定し、隔離政策を続けた行政の誤りと差別を放置した怠慢を謝罪しました。日本においては、行政府が自らの誤りを認めることは極めて珍しいことですが、謝れば済む問題ではありません。隔離政策を否定する医学的知見が定着して以降も、三六年間にわたって患者の人権を侵害し続けた国はどう責任をとるのか。金銭的な補償はある程度実施されましたが、そもそも誤った政策を放置し続けたのはなぜなのか。こうした誤りを繰り返さないためにも、厚生労働省は最高裁判所にならって、遅ればせながらでも検証委員会を立ちあげるべきでしょう。

ハンセン病に関わる国家の犯罪がもう一つあります。それは一九四八年に制定された「優生保護法」です。議員立法で成立したこの法律は、「優生の見地から不良な子孫の出生を防止する」ことと、「母体の生命と健康を保護する」という二つを目的とした法律でした。この出生を防止すべき対象として、遺伝性が否定されていたにも関わらず、「らい」が指定され、断種手術や人工妊娠中絶が強制的に行われたのです。そもそも、戦後医学的にも、倫理的にも否定されていった「優生学」に基づく法律を一九九七年に「母体保護法」に改正されるまで放置し続けた国は世界を見回しても珍しいのです。障害者や遺伝性疾患を持つ人たちの出産の自由を奪う法律は、まさに犯罪そのものです。そして、この法律で行われた実質的な産児制限こそが、今日の出生数の低迷の遠因となっているのです。人口妊娠中絶には様々な議論があります。しかし、着床した胎児はすでに人間としての生命を宿す存在です。ドイツが進める国家としての養子制度の充実のように、母体保護と胎児保護の両立を目指す政策が必要なのではないでしょうか。

（『講演録』五月号）

災害の経験を活かす

四月一四日と四月一六日に二回にわたって震度七を記録した熊本地震によって、日本の国土が地震の巣の上に位置していることを改めて実感させられました。ニュースを見ていると、どれだけ様々な地震の経験が語られていても、身近に経験をしていなければ、行政も住民も真剣に災害への備えをしないことを思い知らされます。様々な備えを怠らない方がよいのはもちろんですが、災害はどこからどのような形で訪れるか分かりません。最後に求められるのは、どのような事態にも耐えて前向きに事態に立ち向かう精神の強靭さでしょう。そして、これまでの災害の現場で培った経験を新しい災害の現場に生かす仕組みが必要です。地域や行政の枠を超えて、経験を積んだ人材が十分に活躍することができれば、救援と復興はより円滑に実行できるのではないでしょうか。

（同）

マイナンバーの体たらく

昨年一〇月五日に法律が施行された共通番号（マイナンバー）制度がスタートし、全国の自治体から国民に通知カードが交付されました。この通知カードには共通番号カードの申請書がついていました。最近になって私の居住している地元の市役所から番号カード申請促進のためと思われる文書が届きました。共通番号カードによってコンビニ等で住民票などの各種公的な書類が受け取れるようになるので、市が独自に運用している印鑑登録証カードによる住民票などの自動交付機の使用は今年九月末をもって停止するという通知です。だから新カードの申請を済ませていない人は速やかに申請してください、という趣旨なのでしょう。しかし、「申請しても、カードを即日配布することはできません。四カ月程度はかかります」と但し書きがついています。

このタイミングでの通知は、今すぐ申請しないと、自動交付機の廃止時に間に合わないですよ、ということなのでしょうか。

ところで新カードの発行が申請から四カ月かかるということはどこでだれが決めたのでしょうか。当初の通知には、発行には時間を要すると書いてあるだけで、四カ月程度という情報は初めてです。おそらく市当局にはそういう情報が入っているのでしょう。しかし、本来は発行を行う主体が、申請からどの程度でカードが手渡せるかという目途を明らかにすべきでしょう。今になって、カードを実際に住民に手渡す地方自治体が、あたかも自然現象か伝言ゲームのように、「四カ月程度」とさりげなく付け加えるのは、あまりにも無責任です。

実はカード発行を扱う地方公共団体情報システム機構は、四月二七日に記者会見を行い、市区町村の業務と申請者へのカード交付を滞らせた原因を発生から三カ月後にようやく特定したことを明らかにしました。自治体窓口でのカード交付が始まった一月以降、一日に一回の割合でシステム障害が発生、システム障害を不正アクセスと認識して交付するカードが使用できなくなり、再申請が必要になるという事態にも陥っていました。一月二二日の時点で、機構はシステムに契約上求めた機能がないとして納品した情報通信会社に抗議していたとされます。

総務省が一四年前に導入した住基カードは普及率が五・五％にとどまり、結局二〇〇〇億円を超える税金が全くの無駄になりましたが、新制度の導入に際して総務省からはそのことについての反省や責任の所在に関する発言は聞こえてきません。今回の醜態についても、監督責任のある総務省は口をつぐんでいます。こんな体たらくで国民の重要な個人情報の管理と運用は大丈夫なのか。不安は募るばかりです。

(『講演録』六月号)

繰り返された醜態

「週刊文春」の記事をきっかけに、舛添都知事の様々な不適切な行為が明るみに出てきました。その内容があまりにもみみっちくてせこいことには驚かされます。そして、釈明記者会見の誠意のかけらもない空虚さはあきれるばかりです。法的にどうこう言う前に、こんな人物をトップにいただいている都民としては、まさに汗顔の至りです。ただの飾り物だと言う人もいますが、都知事はまさに東京のシンボルです。五輪のエンブレムで大騒ぎする以上に、みっともないトップが居座ることの重みをもっと考えなくてはならないでしょう。

(同)

映画雑感 ㊄

今年前半の邦画から。まず『杉原千畝』。今では多くの人が知るところになった「日本のシンドラー」の半生を描いた映画です。冒頭で主人公がロシア駐在を目指して苦闘する姿がドラマチックに描かれ、本省とのやり取りやクライマックスにいたる展開にもリアリティを与えていました。

『人生の約束』はベンチャーのワンマン経営者が、経営手法を巡って袂を分かった盟友の死を知り、彼の故郷を訪れます。知らないところで進行していた不正経理が暴かれる一方、主人公は伝統の祭りに人生最後の情熱を傾けた親友の心情を理解することで失った人間性を取り戻します。

『俳優　亀岡拓次』は傍役専門のベテラン俳優を主人公に、ロケ先の飲み屋のママとの交流を交えながら、主人公の俳優としての生きざまを虚と実の絡み合う映像で描きます。気鋭の若手監督横浜聡子の六年ぶりの映画で、随所に才気と映画愛が散りばめられています。

『恋人たち』は橋口亮輔監督七年ぶりの長編映画。三人の無名俳優を主人公に社会の理不尽にもがきながら、かけがえのない生を見出していく不器用な主人公たちを描いて、内外で高い評価を得ました。

山田洋二監督の『家族はつらいよ』で久しぶりの良質の喜劇の面白さを満喫しました。名作へのオマージュが続いた山田監督がオリジナル脚本で平凡で滑稽な普通の人たちの真実を描き出しています。

『リップヴァンウィンクルの花嫁』は岩井俊二監督一二年ぶりの長編映画。派遣教員の主人公はSNSで知り合った男と結婚しますが、少ない親族をごまかすために「何でも屋」に偽家族の手配を依頼したことから歯車が狂いだします。新婚早々夫が浮気、しかし義母からは逆に自らの浮気を疑われて家を追い出され、「何でも屋」に住み込みメイドのアルバイトを紹介されます。流されるままに生きている人の好い主人公を黒木華が演じ、怪しげな「何でも屋」を綾野剛が怪演。死んだメイド仲間の母であるりりィと綾野、黒木の対決シーンは圧巻です。

『殿、利息でござる!』は映画化された『武士の家計簿』の原作で知られる歴史家・磯田道史による評伝『無私の日本人』の一編を中村義洋監督が映画化。江戸時代のさびれた宿場町を舞台に藩の横暴に、まさしく無私の精神で立ち向かった庶民の知恵と奮闘を描いています。

『植物図鑑』は若者向きの甘いラブストーリーのように見えて、社会になかなか溶け込めない主人公の成長物語でもあります。満たされない日常は結構リアルで、突然現れる不思議な青年との出会いも簡単には幸福な結末にたどり着きません。

（『講演録』七月号）

まともでさえあれば

「無私」とは真逆の嘘と二枚舌に終始した都知事がやっといなくなり、新たな東京の顔を選ぶ運びになりました。まともな人間がまともなことをしてくれるだけでいいのに、まともでない人が続くのは、選ぶ側の都民にも責任があることを痛感せざるを得ません。選びたい候補者がいないときに拒否票を投ずることができるような投票制度ができないものでしょうか。

（同）

常識からの逸脱

普通では許容しがたい状況であっても、それが常態化すると、多くの人が疑いを抱かなくなったり、既定の事実として気にしなくなったりするのが現実です。われわれは飼いならされた羊のように、こうした現実に唯々諾々と従ってしまうのです。例えば多くの人々がその事実を認識している「一票の格差」がそうです。日本国憲法は「国民主権」を宣言し、「正当に選挙された国会における代表者を通じて行動し」と規定しています。つまり「国民主権」は正当な選挙によって担保されているのですが、それでは「正当な選挙」とはどういうものでしょうか。全ての国民は法の下で平等でなければなりません。国民主権を体現する選挙において、全ての国民が同じ一票を行使することが「正当な選挙」の大前提であることは当然の常識です。地方の声を重視することは別の次元の問題であり、「一票の格差」を正当化する根拠にはなりません。国民主権の大前提を損なう「一票の格差」を長年にわたって放置してきた国会も、それを許容してきた最高裁判所も、そしてそれを受け入れてきた国民も、民主主義の常識から著しく逸脱しています。

もう一つの重大な逸脱は、国家財政における歳出と税収の著しい乖離です。二〇一六年度一般会計予算総額九六兆七二一八億円に対して税収は五七兆五〇四〇億円、税外収入を加えても六二兆二八九八億円にしかなりません。不足額三四兆四三二〇億円は新規国債発行によって穴埋めされます。しかし、個人の生活を思い浮かべれば、身の丈に合わない生活を続ければ、早晩借金で首が回らなくなり、自己破産に追い込まれるでしょう。日本国がそうならないのは国債発行残高に見合う個人金融資産が存在するからです。しかし、高齢化によって個人金融資産は縮小に向かうことが確実であり、現在の均衡はいずれ破綻を免れません。

かつて建設国債の発行を是認する論理は、将来の経済成長の果実が税収増となって国債の償却を可能にするというものでした。また不況期における財政出動は景気の好転によって取り返せるということで正当化されます。しかし、成長率が低下し、税収不足が長期化する中での国債発行と国債発行残高の高止まりを正当化することはできません。歳出額の抜本的な見直しに取り組まない政治家も、こうした状況に置かれてなお行政サービスの拡充を求める国民も、いずれもが自らの責任を放棄している点では同罪です。

収支が見合わないときにどうすればいいのか。収入を増やすか、支出を減らすか、その両方に努めるしかありません。いつまでも短期的な政策である金融と財政に頼るのではなく、迂遠であっても成長につながる投資の障害を取り除くことに邁進すべきです。そして、われわれの子孫の繁栄のために、国に頼る行動を抑制することで歳出を減らし、将来に残すツケを少しでも縮小することが国民の責務でしょう。

（『講演録』八月号）

ホスピタリティを求める

本誌がお手元に届く頃には東京に新しい都知事が誕生しているはずです。どなたに決まるとしても、前回や前々回のような結果にならないことを期待したいものです。今回の選挙は争点がないと言われましたが、都市行政に求められるのは、ホスピタリティの高い都市の創造です。暮らしている都民にとっても、増加し続ける訪問客にとっても、暮らしやすく過ごしやすい都市に生まれ変わることが、オリンピック・パラリンピックを成功させ、さらにその後も東京を国際都市たらしめるために重要です。少子高齢化の安心と安全を住民と訪問客の目線で考える姿勢が行政に求められます。

（同）

疑わしきは罰せず

大阪地裁は八月一〇日午前に、殺人罪で無期懲役が確定していた青木恵子さん（五二）に無罪を言い渡しました。この事件は一九九五年に大阪府東住吉区で発生した民家火災で当時小学六年生の女児が焼死し、母親とその内縁の夫が殺人罪に問われた事件です。今回の判決では、「自然発火の可能性は合理的」としたうえで、大阪府警の取り調べについて「精神的圧迫による取り調べが認められる」として確定判決の柱であった自白調書の証拠能力を否定しました。

これまでに冤罪が判明した多くの事件で、自白の強要と自白調書の証拠採用が誤った判決の原因となっています。あらかじめ容疑者を特定し、見込み捜査で自白を強要する捜査機関の旧態依然の在り方が改めて問われることになります。そして、自白調書を判決の柱として有罪判決を確定させた裁判所の姿勢がこうした見込み調査を蔓延させてきた遠因になっていることも見逃してはならないでしょう。

やっと無罪が確定しても二一年間に及ぶ人生の最も充実した時期を取り戻すことはできません。冤罪はまさにその人の人生を破壊し、取り返しのつかない結果をもたらすのです。人が人を裁く司法において、冤罪のリスクは常に存在します。犯罪を過去にさかのぼって検証することができない以上、物的証拠や証言の積み重ねによる判断はあくまでも事実の推定に過ぎないからです。その判断が人の一生を左右するのだという事実を司法関係者はもっと深刻に受け止めるべきでしょう。

「疑わしきは罰せず」は近代国家における司法の大原則です。判断の誤りというリスクが常に存在するからこそ、確実な物的証拠に裏付けられた犯罪の合理的再構成が認められなければ、有罪判決を下してはならないはずです。見込み捜査で容疑を固めるための取り調べと捜査ではなく、物的証拠と証言からあらゆる可能性を排除しないで犯人を絞り込む本来の捜査に変えていかなくてはなりません。

今回の再審では検察が当時の捜査日誌を開示したことが自白調書の否定につながりました。冤罪や行き過ぎた捜査の防止のために、捜査の「可視化」を求める声があります。二〇一三年に国連拷問禁止委員会は対日審査の席上で「弁護人の立ち合いがない捜査は真実ではないことを真実として公的記録に残す」危険があることを指摘しました。捜査にあたって性急に結果を求めるのではなく、冤罪という司法による犯罪から人権を守る手立てを真剣に講じなくてはなりません。

（『講演録』九月号）

緑と水辺の復活を

台風七号が関東から東北沖を経て北海道に上陸、台風一過の関東では猛暑に襲われました。館林では限りなく四〇度に近い高温を記録しました。四〇度の体温が続いたら誰でも病院に駆けつけるでしょう。もはや人間が正常な生活を営めるような気象環境とは言えません。高温で名高い館林市では市民が樹木を植える運動をしているそうですが、これは正しいと私は思います。温暖化が一層進んでいく中で都市環境を少しでも改善するためには気温の低下につながる方策を考えるしかありません。そのためには水路を復活し、緑を増やすことが最善の方法です。水路を埋めて道路に変え、大量の自動車の通行を可能にしてきた都市政策は、まさに温暖化の時代に都市住民を苦しめることにつながりました。一刻も早く首都高速を撤去して通過車両を環状道路に逃がすべきです。そして埋めてしまった水路を復活して水辺に緑を植えれば、涼しい風が通っていく道が生まれるでしょう。いま必要なのはコンクリートジャングルを緑の街に戻す知恵と勇気です。

（同）

都庁の深い闇

築地市場の移転先である豊洲新市場の土壌汚染対策を巡る問題は次々と新しい事実が明らかになり、もはや移転そのものが可能かどうかも不透明になってきました。高濃度の土壌汚染が明らかだった工場跡地を移転先に決めるに当たって、東京都は万全の安全対策を講じると約束し、専門家会議の提言に従って、汚染土壌を入れ替えた上に四・五メートルの盛り土を行ったと説明してきました。しかし、実際は建物の下は全て巨大な地下空間となっており、盛り土はなされていなかったのです。

いつ、どこで、誰によって、専門家会議の結論と異なる決定が行われ、なぜその変更を外部に隠したまま準備が進められたのか。そして都庁内部ではその変更はどこまで報告されていたのか。重大な変更が現場だけで決められ、実行され、選挙で選ばれたトップへの説明と了解を必要としないことが当たり前になっていたとすれば、この組織は腐っています。一六万人もの職員を抱え、国家予算の一割を超える一三兆円の予算規模を持つ巨大組織のガバナンスがこんな状況であると一体誰が想像したでしょうか。確かに都知事が二度にわたって不祥事で退任した時、都庁の業務は優秀な職員が行っており、知事がいなくても何の問題もないのだという、もっともらしい解説がなされていました。しかし、最高責任者と幹部と現場との情報共有が十分でなく、ガバナンスを軽視する組織は必ず現場が暴走し、深刻な事態を招くことになります。こうした行政組織の欠陥を放置してきた歴代の知事と監視役としての都議会の怠慢は責任重大です。

盛り土をしなかった経緯については、小池知事が精査を指示しており、今後明らかになるでしょう。安全性の確保についての担当者の説明は二転三転しています。例えば「土壌汚染対策法で定められた厚さ一〇センチメートルを上回るコンクリートで防げるから大丈夫」という説明は、複数の建物の地下で砕石層がむき出しであることが判明して覆りました。法律の解釈も我田引水の素人判断でしかないことが明らかです。そもそも安全性確保の重要性に対する認識が欠如しているとしか思えません。

安全確保を現場の稚拙な思い込みで行った移転計画が実施寸前で延期されなければ、どこかの時点で事実が明るみに出て、都民の生活を直撃する事態になっていたでしょう。ガバナンスの欠如が業務遂行に対する職員の不誠実な態度につながっているとすれば、問題はこの移転計画だけに止まりません。全ての部門にわたって、組織の在り方と職員の意識を根本から問い直す大改革が欠かせないでしょう。小池知事に期待するだけでなく、都民自身が行政の透明性と説明責任を不断に求めていくことが重要です。

（『講演録』一〇月号）

偏狭な民族意識を排す

リオ・オリンピックの余韻もそろそろ薄れてきましたが、一時はテレビも新聞もオリンピックが幅をきかせて一般のニュースは肩身が狭いようでした。今回の大会では日本選手の予想を上回る活躍が盛り上がりを大きくしたと言えるでしょう。その中で片仮名名を持つ日本選手の活躍も目立ちました。日本社会の多様性を示すものとして歓迎すべき現象でしょう。しかし、開催直前情報をレポートした某局の番組で、キャスターが「純粋な日本人名の選手がほしい」と口走ったのには驚きました。さすがに周囲の人たちは完全無視でしたが、これは差別丸出しの発言です。民進党の蓮舫氏の「二重国籍」問題についても同様の臭いが濃厚です。偏狭な国粋主義は日本人を貶めることにしかなりません。（同）

「復興五輪」はどこに行ったのか

東京オリンピック・パラリンピックを「復興五輪」と位置付けることは、東京都による招致活動の段階から掲げられてきた理念です。一三年九月に行われた二〇二〇年の開催地を決めるＩＯＣ総会における最終プレゼンテーションで、気仙沼市出身の義足のアスリート谷真海さんが実家を津波に襲われた経緯を話してＩＯＣ委員に深い感銘を与えたことはよく知られているところです。

「復興五輪」の理念は、政府が昨年一一月に閣議決定した大会の準備・運営に関する基本方針にも明文化されています。そこには東北での競技の開催に向けて調整を進めることも盛り込まれました。具体的にはサッカーの一次予選や追加種目である野球・ソフトボールの東北開催が検討されています。当時の遠藤五輪担当相は、記者会見で「復興五輪として被災地に貢献できるよう努めていく。被災地の皆さんが元気を取り戻し、勇気をもらい、復興に邁進していただけるような支援をしていきたい」と語っていました。

しかし、小池都知事誕生後、大幅な予算超過への対策として浮上した競技施設見直しの議論からは、「復興五輪」の理念が全く忘れ去られているとしか思えません。施設見直しの第一番に挙げられている「海の森水上競技場」の選定を巡っては、候補として挙げられていた宮城県長沼と埼玉県彩湖の費用見積もり額が実際よりも高く設定されていたこと、施設本体の予算が高過ぎるとのIOC指摘に対して虚偽の報告をしてごまかしていたこと、さらに施設建設に関する入札で落札価格が限りなく入札予定価格に近かったことなどから透けて見えるのは、全てが「海の森」に決めるための出来レースだった可能性です。

さまざまな問題が明るみに出た後に提出された「海の森」費用削減案では、驚くべきことに、他の候補地の見積もり額をすでに現地側が高過ぎると指摘しているにも関わらず、当初の想定額を使って比較しています。鉄面皮としか言い様がありません。嘘とごまかしで塗り固められていた「豊洲市場」問題と共通する都庁組織の深い闇をここにも見ることができます。

「海の森」を巡る疑惑がどこまで明らかになるのか分かりません。しかし、はっきりしているのは、「復興五輪」を掲げて東京開催を実現した関係者の真剣度がこれから試されていくということです。単なる方便に過ぎなかったのか、それとも被災地復興を支援し、被災者を勇気づけるという基本方針を関係者が共有しようとしているのかどうかが問われているのです。東京から遠過ぎるなどと今になって言うのなら、なんで「復興五輪」の旗を掲げたのか。被災地に寄り添う記事を売り物にしてきたメディアも含めて、この問題は関係者の誠意を映す鏡になるでしょう。

(『講演録』一一月号)

沖縄への無知

沖縄県警の警備を支援するために派遣された機動隊員の暴言が、問題になっています。「土人」「支那人」といった時代がかった差別用語を今の時代に吐き出す人がいることも驚きですが、それを口にした機動隊員の、まるで暴力団かと見まがう悪相には開いた口がふさがりませんでした。米軍専用施設の七五％が沖縄県に集中している現実と、太平洋戦争末期に二〇万人の県民が犠牲となった歴史を日本人は共有しなければなりません。基地警備の第一線に立つ公務員にその事実を教育することは政府の責務です。また、沖縄県民の感情を逆なでするような行為は在日米軍の存立を危うくし、日米同盟そのものを損なうことになることにも思いを致すべきでしょう。

（同）

報道の歪み

昨今の報道で気になるのは、その対象の重要度を大衆の好みに従って推し量り、物事の真の重要度とはかけ離れた内容を平然と報じていることです。例えばフィギュアスケートのグランプリシリーズの報道では、不調で下位に甘んじている浅田真央を大きく扱う一方、メダルを獲得した三原舞依、宮原知子、樋口新葉の活躍は極めて簡単に扱われています。ある新聞では不本意な成績に終わった浅田選手の写真だけを大きく掲載し、記事も失意の浅田選手の様子を詳しく報じていました。これに引き換え、高校生ながら自己ベストを更新して三位に食い込んだ三原、ショート四位から巻き返して三位に入った前日本チャンピオンの宮原、やはり逆転で銅メダルを獲得した樋口の取り上げ方はあまりにも小さく、いかにもバランスを欠いています。いかに日本での浅田の人気が高いと言っても、スポーツは実力の世界です。より頑張ってきちんと成果を出している若い選手を公平に扱わないメディアの姿は歪んでいます。

米大統領選挙の報道においても、日本ではトランプ氏の過激な発言のみが大きく報じられ、トランプを押し上げた支持者のレベルの低さを揶揄するかのような発言さえ聞かれました。しかし、直接対決の中身を冷静に分析した人たちからは、トランプ氏の言っていることは意外にまともだという意見の方が多かったように思われます。トランプ氏が当選すれば世界は大混乱に陥るだろうといった見方は、選挙後は急速に姿を消しつつあります。かつてレーガン氏を泡沫扱いしたメディアの姿を思い起こすと、日本のメディアが公平かつ公正であったことなどないのかもしれません。

タレントの高畑裕太氏を巡る事件でのメディアの扱いも極めて後味の悪いものでした。最初に「強姦致傷事件」として報道されたときには、深夜に「歯ブラシを届けてほしい」と女性従業員を呼び寄せ、届けにきた女性を無理やり引きずり込んでことに及ぼうとしたと報じられました。しかし、警察からのリークとして繰り返し流されたこの「事実」は、当初から怪しげなものでした。ホテル側は深夜に歯ブラシを届けるようなサービスはしていないとしていたからです。不起訴処分になって釈放されたときに弁護士もそうした事実はなかったことや本人は合意と認識していたことをコメントしました。そもそもオーソライズされていないリークだけで容疑者を断罪したメディアは、情報の真偽を確認するという最低限の行為を全く行っていません。高畑氏に隙があったとしても、タレント生命を失い、芸能界から抹殺されるような罪を犯したとは思えません。怪しげな「リーク」だけで人を断罪するメディアこそ責められるべきではないでしょうか。

（『講演録』一二月号）

憲法理解がまず必要

国会における憲法改正論議が始まりました。思考停止ではなく、とにかく正面から論議がなされることはいいことです。論戦の入り口で扉を閉めるのではなく議論を行うことを決めた野党も正解であったと思います。改憲の是非はともかく日本国憲法をまずしっかり読み込み、本当の意味での理解を深める必要があります。その意味では七〇年近くも日本国の規範であり続けた憲法の具体的な問題点を指摘するのではなく、成立の経緯が押しつけであったから書き直すべきだという議論を繰り返す自民党の立論はまったく論戦の糸口にはふさわしくありません。

（同）

二〇一七年

映画雑感 ㈥

昨年後半の邦画から。まず『セトウツミ』。大阪を流れる川のほとりで、学校帰りの高校生二人が他愛もないおしゃべりをする。ほとんどそれだけの映画ですが、現在最も勢いのある若手俳優二人が、生身の若者像を見事に演じ、現代日本の世相をも浮かび上がらせています。

半身不随になった頑固者の和紙職人と、韓国からヘルパーとして日本にやってきた若い女性との交流を描いた『つむぐもの』は、日韓の文化の衝突や、介護を巡る問題など、重いテーマを正面から取り上げながら、人生そのものについて考えるきっかけを与えてくれる秀作です。五〇年目にして初主演の石倉三郎と韓国の若手実力派女優キム・コッピが、最初は反発し合いながら、やがて世代と国境を超えて心を通い合わせていく関係を見事に造形しました。

一二年ぶりに本家の東宝が製作した『シン・ゴジラ』は、フルCGによる迫力ある映像のみならず、総監督・脚本に『エヴァンゲリオン』で知られる庵野秀明を起用し、日本の危機管理や政治の実態、日米関係の深層などを鮮やかに描き、単なる怪獣映画の域を超えた作品に仕上がっています。

『シン・ゴジラ』を超える大ヒットで社会現象になったのがアニメ『君の名は。』です。時空を超えて夢の中で出会い、それぞれの世界に入れ替わってしまった男女の高校生が、彗星の落下によって消滅した村を救うために奮闘する中で惹かれ合っていきます。複雑なプロットとリアルで奥行きのある映像が何度も映画館に足を運ぶ観客を続出させ、大ヒットになりました。

実力派俳優を揃えた『怒り』は、殺人犯と疑われる三人の若者と周囲の人たちの交流を、全国三カ所の風景と暮らしの中で描いたサスペンス映画です。重層的な構成と芸達者な俳優陣の迫真の演技を堪能しました。

ベテラン東陽一監督が久しぶりにメガホンをとった『だれかの木琴』は、若い美容師へのストーカー行為をエスカレートさせていく主婦を描いたサスペンス映画。主婦を演ずる常盤貴子と美容師役の池松壮亮が、穏やかな日常に潜む狂気と不条理を演じて魅力的な世界を作り上げています。

家族や恋人の死をテーマにした映画が今年も多く登場しましたが、『泣き虫ピエロの結婚式』は、修行中の未熟なピエロを演じた志田未来が、不器用でも一途でひたむきな主人公を好演。ありきたりのラブストーリーと一味違った爽やかさが収穫でした。『永い言い訳』は、『揺れる』や『ディア・ドクター』などの秀作で知られる西川美和監督が、自身の直木賞候補作を映画化。バスの事故で突然妻を失った小説家が、一緒に死んだ妻の親友の家族との交流を通じて、人間性と前向きな生き方を取り戻していく姿が描かれます。難役に挑んだ本木雅弘の抑えた演技が印象に残りました。

（『講演録』一月号）

拡がる「ジハード」

トルコとドイツで相次いでテロ事件が発生しました。これによって一段と新年の世界が保護的かつ排外的にならないことを願うばかりです。テロの背景についての報道機関の解説は、どれもこれまでの繰り返しで、あまり参考になる情報はありませんでした。これについては、一一月の最後の講演会で池内氏がお話になった「ジハード」が世界に拡散するテロを理解するキーワードとして重要です。ぜひ今号の内容を熟読ください。

（同）

「片付け」という病

ここ数年、「片付け」が脚光を浴び続けています。始まりは、「片付けの達人」を名乗る女性が本を出版し、これがテレビなどでも取り上げられて一躍人気者になったことでした。実際に片付けの苦手な人の家を訪問し、足の踏み場のないような現場を見事にきれいにしてしまう様が、まさにショーとして人気を集めたのです。彼女が提唱する「片付け」の理論には、なるほどと頷ける内容が含まれており、その理論に基づいた実践の潔さが歓迎されたのでしょう。

しかし、自分の家や部屋を片付けるのは、あくまでも当人だけに許された特権です。「片付け」とは、自らの責任において自ら所有するものを取捨選択し、残すべきものをしかるべき場所に配置する行為です。収拾がつかない状況に陥った時には、他人の意見や手助けを求めるかもしれませんが、あくまでもその主体は本人であり、それを手放すことは自らの人格の放棄にほかなりません。

「片付け」に関して、私がどうしても納得できないのは、死んだ後に残る家族に迷惑をかけないように片付けを親に強制するような風潮です。どうしたら親に片付けさせることができるかといった記事を見ると吐き気さえ覚えます。同居する家族や隣人への配慮は必要ですが、そうした逸脱さえしなければ散らかすことも自由であり、神聖な権利です。

高齢になり、自らの死を考えるようになるにしたがって、自分のいなくなった後に残され人たちに迷惑をかけないようにしたい、と考える人もいるでしょう。自分にとって大切なものでも、他人にとっては何の価値もないことは往々にしてあります。しかし、他人にはガラクタでも自らが必要とするものに囲まれて死を迎える権利はすべての人に与えられています。

死後に遺産を引き継ぐ子供たちが、親に向かって不要なものは処分しておけとうるさく迫ることは、金目のものはもらいたいが、そうでないものは捨ててから死ねということに等しい。そんなことを、もらう側の人間がどうして言えるのでしょうか。荷物がたくさんすぎて手に余り、取捨選択などしたくないということであれば、お金さえ払えば何でもしてくれる業者はいくらでもいます。相続資産の一部でそれを払えばいいのです。

「片付け」を時間の浪費に過ぎないと考える人には、リデイア・フレムの『親の家を片づけながら』を一読することをお勧めします。「片付けをするあいだ、あらゆる感情が自分のなかでせめぎあうだろう」「たとえつらくてもこの悲劇を無理にでも味わうことが、心を浄化し、親とのしこりを消すことになる」。全ての人がこうした機会を与えられるわけではありません。しかし、まっとうな人間なら、「片付け」の機会こそが貴重な遺産の一つであることに気づくはずです。

（『講演録』二月号）

地下水の汚染

豊洲新市場の地下水から九回目の最終調査で国の基準値を大幅に上回る有害物質が検出されました。今回の調査は入札で選ばれた、これまでとは異なる調査機関が行いました。なぜこれまでとは大幅に異なる結果が出たのか。諸説紛々ですが、これから何度調査しても今回の結果を消すことはできません。こうした状況に陥る将来のリスクを否定できないのです。地下水が基準値を超えたからといって地上で取引される生鮮品に危険が及ぶわけではないといった専門家の発言がありますが、まさに噴飯ものです。地下水が汚染していれば気化した有毒ガスが地上に上がってくる。それを防ぐために盛り土をするということではなかったのか。そしてその盛り土は存在しないのです。この計画は白紙に戻すか追加工事しかないでしょう。

（同）

「公僕」は死語になったのか

「公僕」という言葉があります。年配の方にとっては当たり前の言葉でしょうが、若い世代には完全に死語となってしまっているようです。「公務員は公僕」という表現で公務員批判が行われたときに、「公僕」は「しもべ」として人を見下す差別用語であるとか、国民を「天皇のしもべ」とした大日本帝国憲法下の思想の残滓であるとかいったおかしな議論さえ存在したようです。公務員は単なる賃金労働者であり、しもべではないというのが若い公務員の偽らざる考えなのかもしれません。

「公僕」を英語では civil servant と言います。日本語の語源がこの英語にあるのかどうか知りませんが、まさしく「公僕」はこの直訳です。欧米の民主主義は国王や貴族、あるいはそれに連なる権力との戦いによって勝ち取られてきたものです。権力に連なる官僚は往々にして権力を笠に着て威張ったり、自らの利益に走ったりしがちです。「公僕」という言葉は、本来、国民主権下の官僚への戒めとして使われた言葉なのです。政府や地方自治体における官僚の権限は、国民によって付託されたものであり、公務員は国民に奉仕すべき存在です。「公僕」という言葉を死語にしてしまった日本は、公務員の本来の職分をどこかに置き忘れてきたのかも知れません。

最近になって判明した文部科学省による「天下りあっせん」は、まさに「公僕」としての本分を忘れた官僚機構の腐敗を天下にさらした事件です。事務方のトップである歴代の次官がこの存在を認識していたということは、組織ぐるみの犯行であることを証明しています。そして、より重要なことは、これが単なる国家公務員法違反にとどまらず、補助金の交付という権限を振りかざした官僚自身への組織的利益誘導であるということです。

自らの活動によって利益を生み出す民間企業とは異なり、行政機関の使うお金の源泉はすべて税金です。行政が運営する事業は独占的な権限に依拠しており、そこから得られる収入も広い意味での税金であると言っていいでしょう。いずれにしても行政権限はあくまでも国民の福祉のために付与されたものであり、自らの利益追求のために使うことが許されるはずはありません。

最近の教育行政は補助金を笠に着て大学のあらゆる活動に口を出しているようです。行き過ぎた「大学の自治」が時代おくれの象牙の塔を生み出したことも事実ですが、「公僕」の本分を忘れた官僚に教育改革をゆだねることが間違いです。そしてこうした教育行政に唯々諾々として従う私学の「学の独立」は一体どこに行ってしまったのか。日本の知の未来は危機に瀕しています。

（『講演録』三月号）

愚か者の支配

お金を払って物を買い、モノを売ってお金を受け取るという行為はそれぞれが等価交換です。売るものより買うものが多かったから自分は損をしたと考えるのは単純な算数すら理解できない愚か者でしょう。こんな人が米国の一流大学の卒業生だというのだから驚きです。そして自分の兄をなんの法的な根拠もなく、ただ存在が気に食わないからと言って抹殺する国家指導者が存在することも信じがたいことです。われわれは愚か者と狂人との核のゲームを見守るしかないのでしょうか。

（同）

税金にたかる寄生虫

国会とメディアを大いに賑わせた「森友」学園問題は、現代の日本に巣くう病巣を白日の下にさらす事件でした。国有地の払い下げが地中の廃棄物の存在を理由に鑑定価格よりも大幅に値引きされていたことが事件の発端ですが、その土地に新設される小学校の名誉校長に安倍昭恵首相夫人が就任していたことから、報道が一気にヒートアップしました。国会での質疑で、いつになく安倍首相がムキになって答弁する姿も異常でした。大阪府私立学校審議会が経営状態に懸念があったこの学園への設立認可を条件付きとはいえいったんは認可相当と答申したのはなぜか。提出書類の内容には、有名な中高一貫校への推薦枠があると勝手にうたっていたことや、理事長の経歴詐称なども明らかになりました。そして同学園が経営する幼稚園での異様な「愛国教育」の実態も明るみに出るなど、話題は次々に拡散していきました。

問題はたくさんありますが、国民として最も関心を払わなければならないのは、国有地払い下げと補助金の問題です。国有地は国民の財産であり、国は公正な価格で売却する義務があります。地中に廃棄物があるのなら売る側が除去してから売却するのが通例です。費用相当額を値引きするという異例の措置をとったのはなぜなのか。そして費用の見積もりを民間業者に入札で委ねるのでなく、国土交通省が自ら行ったのはなぜなのか。一連の異例の対応がなぜなされたのか。財務省も国土交通省も納得のいく説明をしていません。取得を急ぐ学園の意向に沿う形で行われた措置に政治的圧力があったのではないかとの疑念を払うためにも、すべてが明らかになる必要があります。

最終的に籠池理事長の国会喚問が実現しましたが、当初与党は頑なに拒否していました。「犯罪をおかしたわけでもない私人を喚問することには慎重でなければならない」というのが拒否の理由でした。しかし、大阪府と国に提出した建設工事費の見積もり額が大幅に異なっており、しかも同じ日付で同じ業者が出した見積もりでした。府に対しては費用を低く見せて学校経営による収支悪化を隠蔽し、国に対しては費用を水増しして高額の補助金を搾取しようとした疑が限りなく濃厚となっていました。これが地方自治体や国に対する犯罪行為でなくて何なのでしょうか。安倍首相から寄付金を受け取ったという発言が出て、一転して証人喚問に応じることになった与党側の対応には、税金を食い物にする輩を監視しなければならないという政治家の本分がかけらも見えてきません。官僚機構と政治家に税金の無駄遣いの原因となる寄生虫を駆除する気概が少しも感じられないことが日本を蝕んでいる深刻な病巣でしょう。

（『講演録』四月号）

都議会の猿芝居

都議会での豊洲問題に関する証人喚問は、豊洲移転の早期実現を主張する自民党議員と石原、浜渦武生証人との波長が見事に一致する猿芝居でした。加えて東京都の豊洲市場における土壌汚染対策に関する専門家会議の平田座長は地下水が汚染されていても地上は安全だと援護射撃をしています。しかし、同じメンバーによる専門家会議は土壌汚染対策として盛り土を提案し、汚染物質が気化して上がってきても盛り土が吸収するとして盛り土を提言したのではなかったのですか。提言を受けて行われた盛り土が建物部分では行われていなかったこと、地下水に基準値の一〇〇倍を超えるベンゼンが含まれていることを考えると、この気化したベンゼンが地上部分に影響を与えることは、これまでの専門家会議の議論から当然導きだされる危険です。その危険をどのような対策で除去するのか。専門家会議は都民を納得させる義務があります。

（同）

看過できない発言

現在の安倍政権は高い支持率を背景に党内にかつてない強固な基盤を築いています。しかし、最近閣僚をはじめとした政府の内部からたびたび失言や問題発言が飛び出すようになりました。それも極めてみっともない言い訳や発言の撤回や謝罪を伴っています。「一強」と呼ばれるこの政権の構成メンバーになんとも劣悪な人材が含まれていることは嘆かわしい限りです。

中でも山本幸三地方創生・行政改革担当大臣の「一番のがんは文化学芸員と言われる人たちだ。観光マインドが全くない。一掃しなければだめだ」という発言は文化遺産に対する知識や見識のかけらもない、恥ずかしいものでした。観光立国を目指すのであれば、もっとも重要なのは観光資源です。文化遺産と自然遺産の存在こそが、これからの日本の観光立国を支える資源となるのです。観光マインドを云々する前に、世界に誇れる遺産をしっかりと守り育てる心構えが国民全体に浸透していくことが必要です。学芸員はまさにその担い手として法律によって定められた専門職です。

観光立国はレベルの高いリピーターが数多く生まれることによって初めて可能になります。一時の爆買いではなく、日本の文化に興味を持ち、より深く知りたいというファンを育てなくてはならないのです。うわべだけを飾った客寄せではなく、本当に価値のある中身の充実が欠かせません。

山本発言は、間違っていたから撤回すればよい、では済まされない問題を含んでいます。文化遺産への理解も見識もなく、文化行政への基本的な知識を欠き、しかも、自らの発言に責任を持たない大臣に誰がついていくでしょうか。こんな大臣ならいないほうがましです。いますぐ一掃されるべきなのはこういう輩です。そして自らの行政組織を誹謗中傷された文部科学省と文化庁は、山本大臣に厳しく抗議すべきです。

観光立国を標榜するのであれば、観光に値する国にならなければなりません。山本大臣は「観光マインドを持ってもらう必要があるという趣旨だった」と言い訳していますが、学芸員の観光マインドをあげつらう前に指摘しなければならないことがいくらでもあるはずです。快適な交通や宿泊施設の整備も急がなくてはなりません。地方創生のためにはバリアフリー化や洋式トイレの充実など、海外から訪れるセレブたちを満足させられる利便性の向上が急務です。思いがけない不便を強いられれば二度と来ないという結果になりかねないからです。それは海外からだけでなく、国内の観光客にとっても同じことです。経済的に恵まれていても、身体機能は低下していきます。高齢の観光客を呼び込むためには、ストレスなく快適に過ごせる環境の整備が欠かせないのです。

（『講演録』五月号）

国会議員の鉄面皮

歳入を大幅に上回る国家予算が提出されたのにもかかわらず、歳出の中身やその是非について国会では大した議論も行われませんでした。いつものこととはいえ、国会議員は本来の務めを一向にはたしていません。その一方で「森友学園」問題は、財務省が交渉経過を明らかにしないままで幕引きされました。行政の業務の遂行がどのように行われているのかを、国民は知る権利があります。国民のプライバシーを侵害する法律を作る一方で、自らの行動を隠蔽する政府は危うい将来につながっていく危険をはらんでいます。

（同）

文化行政の責任

前号では山本大臣の暴言について苦言を呈しました。文化遺産の保護と国民理解の担い手であるべき学芸員の意義についての認識が欠けていることは看過できません。ただ、非難された側である学芸員が本来の職責を果たしているのかといえば、そこにも大きな問題があるようです。

先月『国宝消滅』や『新・観光立国論』の著者であるD・アトキンソンさんに講演をお願いしました。氏は外資系金融機関を退社した後、国宝を始めとする文化財の修復を行う企業の経営を引き継ぎ、日本の文化遺産の保護と維持管理の第一線で奮闘されておられます。文化資源を維持していくためには、担い手である人材の育成と経済的な裏付けが必要です。そのために文化遺産を観光資源として活かすことが重要になってきます。しかし、文化遺産を取り巻く行政関係者の理解はあまりにもお粗末なようです。そして本来は文化財の価値を守り、一般大衆にその価値を知らせなくてはならない学芸員の中に、その本分を忘れた人たちも存在することを、アトキンソン氏は指摘しています。

「博物館法」に定められた博物館の範囲は、美術館や動物園、植物園、水族館、科学館など多岐にわたります。この博物館に置かれる学芸員は、資料の収集、保管、調査研究、展示、その他関連事業を担う専門職員です。高い人気を集めて成功している美術館や動物園には、専門知識を備えているだけでなく、企画力に優れた学芸員の存在があったことは、知る人ぞ知る事実です。しかし、地域活性化の名のもとに全国に大量に設置された「博物館」の多くは、学芸員の意義などに全く理解の及ばない行政の下で運営され、立ち腐れていく施設も少なくありません。

「箱もの」としての建物は作っても、中身を充実させなくては多くの人を呼べる施設に育てることができません。有能な人材による不断の努力が欠かせないのです。公立であれば行政当局が、私立であれば経営陣が、その責を負っています。今必要なのは、学芸員の一掃ではなく、既存の学芸員が本来の職分を全うするための再教育と支援、そして新たな人材の育成です。

学芸員を規定した「博物館法」は、一九五一年に制定された法律です。二〇〇六年から開始された法改正は現在棚上げになったままです。戦後の高度経済成長によって経済大国に成り上がり、九〇年以降の低成長によって普通の国に成り下がりつつある日本にとって、世界に誇るべき文化こそが一等国であり続ける最大の武器です。その文化の価値を維持発展させるためには、それを担う人材の育成と、それを可能にする国民の理解が必要でしょう。そのための行動を怠っている文部科学省と文化庁の責任は重いといわざるを得ません。

（『講演録』六月号）

企業の抱える資金余剰

四月から五月にかけての講演会の中で、複数の講師の方々から、日本の企業部門に積み上がった膨大な貯蓄資金についての指摘がありました。この資金が前向きな投資に使われれば、日本経済は再び輝きを取り戻し、新たな成長軌道に復帰することが出来るかもしれません。グローバル化する市場において、「成長機会がない」という言い訳は通用しません。新たな成長機会を探し出し、リスクを負って再投資を行うことは経営者の責務です。長期にわたって貯蓄資金を積み上げるのは経営者の怠慢でしかありません。

（同）

映画雑感 ⑦

昨年一二月から今春までの邦画から。まず昨年一二月の『海賊とよばれた男』。百田尚樹のベストセラー小説の映画化ですが、日本と日本人への礼賛としてではなく、既得権と権力と闘い続けた企業経営者の生きざまとして捉えると、アニマル・スピリットを失った今日の企業社会への警鐘として今日的意義が認められます。

『恋妻家宮本』は、子供が結婚して巣立ち、二人切になった熟年夫婦の物語。昨年、『海よりもまだ深く』で離婚に追い込まれるだめ亭主を熱演した阿部寛が妻の隠し持っていた離婚届を偶然見つけて狼狽し、右往左往する情けない夫をコミカルかつリアルに演じています。

『愚行録』は、直木賞候補作にもなった貫井徳郎の同名小説を新人監督石川慶が映画化。嫉妬や憎悪などから様々な愚行を重ねる人間模様が悲惨な事件につながっていく陰鬱な作品ですが、東北大学理学部を卒業後、ロマン・ポランスキーを生んだポーランド国立映画学校で学んだ石川監督が、長編デビュー作品とは思えない空気感を感じさせる作品を完成させています。主演の妻夫木聡と満島ひかりの好演に加え、人間の愚かさを象徴するような男を小出恵介が見事に造形して新境地を開いています。小出は最近一七歳の女性との交際トラブルを週刊誌に報じられ、活動を休止していますが、犯罪の事実が確認されないのにも関わらず、出演作品の上映が全て中止される日本社会のあり方は納得できません。

東京で突然大停電が起きて都市機能がマヒしてしまい、九州の実家を目指して脱出を図る一家を描いた『サバイバルファミリー』は、一見荒唐無稽な設定ですが、その中でうごめく人間模様は、大震災をたびたび経験した日本人にとってはリアリティのある世界でしょう。パニック映画というよりは、危機に直面した一家の再生と成長のドラマを支えているのは小日向文世と深津絵里という芸達者の存在感でしょう。

性的マイノリティの恋人同士とその二人が預かることになった少女との束の間の幸福な家庭生活。『彼らが本気で編むときは、』は、今でも周囲の無理解と嫌悪の目にさらされている人たちの心情と日常をリアルに映し出します。声高な主張ではなく、主役を演じた俳優陣の穏やかで自然な演技が、難しい問題を解きほぐして見せます。

『しゃぼん玉』では、親に捨てられて育ち、ひったくりや強盗を繰り返してきた主人公が、山村の林道で怪我をした老婆を救ったことから、人間らしい生き方を学び、再生していきます。不器用で危険な香りを漂わせる林遣都と、凛とした生き方を貫く老婆を見事に体現した市原悦子が秀逸でした。

（『講演録』七月号）

「共謀罪」と「分煙」

「共謀罪」と「加計学園問題」が盤石と見られた「安倍一強政治」に思わぬ失墜をもたらしました。内閣支持率は「安全保障関連法案」強行後と同水準まで低下しましたが、明らかに今回の方が重症です。「共謀罪」は委員会審議を飛ばして「中間報告」のみで本会議採決を強行するという禁じ手を使い、「加計学園問題」は首相自身の盟友を巡る疑惑隠しが露わになりました。東京五輪のために「共謀罪」が必要だと強弁しながら、IOCが求める「分煙」徹底は完全無視です。ご都合主義に走る政権は末期症状を呈しています。

（同）

老いの人生

昨年発売され、今年上半期のベストセラー第一位に輝いた佐藤愛子の『九十歳。何がめでたい』は、とってつけたように敬老の日などを催してお茶を濁す日本の社会の偽善を見事に一喝し鉄槌を下しました。もちろん、「そうは言っても」という言い分は幾らもあるでしょう。しかし、何かというと他人の尻馬に乗るくせに、肝心の時に押し黙ってしまう昨今の風潮をよそに、自らの存念を明快に述べる姿勢が多くの共感を得たのでしょう。

本のタイトルの通りで、齢を重ねるということは、次々に襲ってくる心身の「故障」や「衰え」に否応なく向き合わなくてはならないということです。そのことを愚痴ってみても、心身共に健康な人たちにはうるさく、うっとうしいだけです。しかし、現代の「社会」、「時代」、「世相」に存在する様々な問題への見解が納得のいくものであれば、だれもが耳を傾けます。この本の場合は、激しさの底に流れる温かい眼差しが、多くの人の共感を呼んだのです。

「老い」をどう生きるのか考えて思い出したのが、沢村貞子の晩年のエッセイです。名脇役として知られた沢村は名エッセイストでもありました。『貝のうた』、『私の浅草』が評判になり、いくつも雑誌の連載を頼まれるようになりました。一九八九年に八〇歳を越えたのを機に女優を引退し、やはり執筆活動をやめていた夫大橋恭彦とともに湘南に隠棲、その後は執筆活動に専念しました。この時期に書かれたのが、『老いの楽しみ』、『老いの道づれ』、『老いの語らい』です。

『老いの道づれ』には、「二人で歩いた五十年」という副題が添えられています。九四年に八三歳で亡くなった夫と、出会ってからの五〇年の歩みを二人で書こうと約束したのですが、夫は最初の部分を書いただけであっけなく逝ってしまいました。序章である「逝ってしまったあなた」に、その辺りの事情が淡々と綴られています。

沢村は、日本女子大学在学中に新築地劇団に入団して左翼演劇活動に身を投じ、二回にわたって特高に逮捕されて、治安維持法違反で有罪判決を受けます。終戦直後には、兄澤村國太郎の一座に身を寄せており、京都南座に出演していた折に、都新聞の記者だった大橋と出会い、交際を始めますが、二人にはそれぞれ家族がいました。やがて二人は駆け落ち同然に上京し、実質的な夫婦生活をスタートさせます。出会いから五〇年、二人を結びつけ続けてきたのは、「語らい」を大切にする生活でした。

『老いの道づれ』は、飾り棚に安置された亡き夫の遺影と骨壺との静かな「語らい」によって書かれました。刊行の翌年、八七歳の生涯を閉じた沢村の遺骨は生前の夫との約束通り、相模湾に散骨されました。

（『講演録』八月号）

内閣改造のリスク

今年も暑い夏がやってきました。例年なら政界も八月は凪状態になりますが、今年は首相出席のもとで閉会中の参考人招致が行われますし、早期の内閣改造も予定されています。講師の塩田さんによれば、政権は内閣の改造を行うたびに弱体化するのだそうです。安倍政権の弱体化が、再び政治の混乱と日本の弱体化につながらないことを祈るばかりです。

（同）

国際平和協力とは何か

安倍内閣の支持率の急降下についてはいくつもの原因が指摘されていますが、森友加計学園を巡る疑惑とともに、南スーダンPKOを巡る「日報」の隠蔽問題が大きな影を落としています。防衛省内部のガバナンスや情報公開に対する認識の欠如が明らかになり、結局、大臣、事務次官、陸上幕僚長の三人が引責辞任することになりました。この間の経緯についてはなお多くの疑念が残されていますが、与党側は野党側の要求する国会での証人喚問を拒否しており、このまま幕引きが図られるでしょう。

「日報」問題を巡る議論は、もともと「非戦闘地域」にしか自衛隊を派遣できないルールになっているにも関わらず、現地部隊の「日報」には「戦闘」状態にあることを示す記述が複数明記されているという情報が浮上したことから始まりました。

自衛隊の派遣部隊に対して、二〇一五年の安全保障関連法案の成立によって新たに可能になった任務を新たに付与するに際して、政府は再三「戦闘状態」を否定してきました。その後に行われた派遣部隊の撤収についても、その理由は「任務の終了」とされました。この間の国内での議論は、派遣部隊の安全が確保されているか否かに終始していました。新しい任務の実績をつくりたいがために隊の「安全」を強調する政府に対して、危険な現場で任務を遂行している現場が不満を募らせたとしても不思議ではありません。「日報」に繰り返し登場する「戦闘」の文字はそうした現場の抗議の証であると考えるべきでしょう。われわれ国民が注視しなくてはならないのは、危険を「隠蔽」すれば事足れりと考える政府のご都合主義です。

日本の国際連合平和維持活動への参加は、一九九二年に成立した「国際平和協力法」（略称）に基づいて行われてきました。派遣の前提が「非戦闘地域」であるという原則は変わっていませんが、国連平和維持活動そのものの範囲や内容は当時よりも拡大し変質してきています。日本の法律も数度にわたって改正されてきましたが、派遣当時の「非戦闘地域」が、その後「戦闘地域」になった場合に、日本が独自の判断で撤収できるとする規定は設けられていません。

昨年来の国会やマスメディアで行なわれてきた議論は、戦闘地域への派遣を行わないことを前提に、派遣部隊の安全が確保されるかどうかに終始してきたように思われます。紛争地域の現実を踏まえて、日本が平和の構築と維持にどのように貢献できるのか、その時にどこまでの危険が許容されるのか。そうした議論を与野党が真摯に戦わせることはありませんでした。自国の利害だけではなく、世界への貢献こそが日本の安全の源泉であることを再確認しなければなりません。

（『講演録』九月号）

パリ協定とトランプ政権

六、七月の記録的猛暑の後は、記録的長雨や集中豪雨と、日本列島は相変わらず天候異変に襲われています。地球温暖化がもたらす気候変動の影響は年々大きくなっているようです。トランプ政権内で「パリ協定」からの離脱を強硬に主張したバノン氏が更迭されたことで米国は少し良識が回復してくるのでしょうか。それとも肝心の親玉が変わらない限り、米政権の正気は戻らないのでしょうか。

（同）

安易な衆院解散を憂う

突然の解散風が日本列島を吹き抜けました。麻生副総理や二階自民党幹事長との会談で早期解散の腹を固めた安倍首相は、ロシア訪問中の山口公明党委員長に電話でその意を伝え、帰国後の山口氏と会談で了承を取り付けると、あわただしく国連総会出席のため日本を出発しました。

解散の理由については、帰国後に説明するとしています。八月初旬に内閣改造が行われたとき、安倍首相は「仕事人内閣だ」と胸を張り、内閣支持率の急降下については、自らの政治姿勢を深く反省して、今後は丁寧な説明を心掛けると低姿勢でした。しかし、今回の突然の解散については、出発前に取り囲んだ記者団に対して「いちいち説明しない」とにべもありませんでした。

なぜ今解散なのか。首相の意図は深く忖度するまでもないでしょう。北朝鮮の挑発行動が続く中で内閣支持率が大幅に回復。一方、代表の交代が行われたライバルの民進党は人事でつまずき、離党者が相次いでいます。新党立ち上げを進める小池都知事のグループの機先を制し、臨時国会における「森友・加計」問題の追及を避けるためには、今こそ千載一遇のチャンスというわけです。

解散の「大義」を何に求めるのか。首相周辺では、来年に予定されている消費税率引き上げに際して、全額を財政健全化に充てるのではなく、教育の無償化など現役世代への給付拡大に充てることを争点に打ち出したい考えのようです。しかし、こうした問題は、まさに国会で議論を尽くし、もし議論が紛糾するようであれば、そのときこそ国民の信を問えばいいのです。国民は国会における議論と議員の言動を見て、投票を行います。選挙は国民による議員と政党への通信簿です。国会の議論もないままに勝手に争点をつくって選挙に走ることは国会と国民をないがしろにするものです。

「解散は首相の専権事項」と政界関係者は当然のように口にします。しかし、解散権が首相にあるとは日本国憲法のどこにも明記されていません。第六九条には、内閣不信任案が可決されるか、信任案が否決されたときには、内閣は総辞職か衆議院解散かを選択することができるとしていますが、内閣が自らの判断で任意の時に解散を命ずることができるとの条文はどこにも存在しないのです。

首相に解散権があるとする根拠は、天皇が国事行為として解散を行うに当たって内閣が「助言と承認」を行うとする第七条に拠っています。戦後当然のことになった「首相の解散権」は歴代の政権が恣意的に憲法を解釈してきた結果に過ぎないのです。日本同様議員内閣制を採用しているドイツとイギリスでは、不信任されたとき以外の内閣の解散の道を塞いでいます。日本も安易な解散は健全な議員内閣性を揺るがしかねないことを肝に銘じるべきです。

（『講演録』一〇月号）

「慰霊の日」に思うこと

九月一日の関東大震災「慰霊の日」に、「朝鮮人犠牲者を慰霊する式典」への都知事の追悼文送付が取りやめられました。この前段として、今年四月の都議会において、自民党議員から慰霊碑の碑文にある犠牲者六千余という数字に疑義が出され、これを受けての見送りとも考えられます。小池氏は「史実については歴史家に委ねる」と答えていますが、人数の多少はともかくとして、少なからぬ朝鮮人が虐殺された事実は否定の余地がありません。日本国民としてその行為を深刻に受け止め、犠牲者に哀悼の意を表することは当然の行為です。

（同）

中国式白タクに思う

日本各地の国際空港や有名観光地で、「中国式白タク」の横行が話題になっています。最近、中国人観光客の多くが、中国本土を出発する時点で配車サービスアプリを使って、在日中国人の「白タク」を契約、訪日すると指定の場所に「白タク」が出迎えてくれるサービスを受けています。料金が日本の正規タクシーよりも安いだけでなく、中国語でガイドもしてくれるのが好評のようです。

この背景には、中国においてインターネットのアプリを使った配車サービスが急速に普及している現実があります。配車アプリは、もともとアメリカのウーバーが開発したものですが、ウーバーの登場から三年後に始まった中国の配車サービスは、瞬く間に中国市場を席巻し、今では主要都市の都市交通にはなくてはならない存在になっています。いつどこでもスマホで最短の空車を探し出して利用できる利便性に加えて、運転手のプロフィールが登録され、利用者の評価が明らかにされていることで、かつては「黒車」と呼ばれてぼったくりの代名詞だった「白タク」が、信用と質の高いサービスを確立したからです。また、支払いが電子マネーで行われることで明朗会計も実現されました。中国企業の急成長に伴い、元祖であるウーバーは中国市場からの撤退を余儀なくされています。

配車アプリサービスは、ライドシェアアプリサービスとも呼ばれるように、タクシーの配車に加えて、自家用車を使って他人を運ぶことを可能にしているのが特徴です。その意味で、自宅の部屋をインターネットアプリに登録して貸し出す「民泊」サービスと共通のシェアリングエコノミーの一形態です。いずれも利用者による評価が「悪貨」を駆逐し、品質の維持向上がマーケットを通じて普段に行われることが特徴です。

日本では、自家用車を使って他人から金銭を受け取る「白タク」行為は法律で禁じられています。その意味では、本国のサービスを日本の法律を無視して勝手に持ち込み、やりたい放題の中国人は非難されるべきでしょう。しかし、利用者の利益ではなく、業界の既得権益の保護しか念頭になく、世界の趨勢から目を背け続ける日本の国土交通省の業者保護行政には、日本人自身が疑いの目を向けなければなりません。

米国経済の好調は、ＩＴとインターネットサービスによって牽引されています。中国経済は過剰設備に苦しむ重厚長大産業が影を落としていますが、ＩＴとインターネットサービス分野では次々と新興企業が生まれて急成長し、中国社会そのものを変えつつあります。しかし、日本は「観光立国」を標榜しながら、最先端のサービスに対しては門戸を閉ざしたままです。ＩＴとインターネット、そして眠っている資源を利活用するシェアエコノミーの推進によって、サービス産業の生産性向上を図るべきでしょう。

（『講演録』一一月号）

「岩盤規制」は崩せたのか

「岩盤規制にドリルで穴を開ける」と国際会議で大見得を切った安倍首相ですが、その突破口として掲げた経済特区で実現したのは、お友達の学校新設でした。経済大国から普通の国へと後退が続く日本経済に必要なのは、新たな成長機会を生み出す規制改革です。そのメスが入らなくてはならないのは、いまだ国家管理が続く、農林水産省、国土交通省、文部科学省の既得権益保護行政です。五年間も金融と財政によりかかり続け、構造の変革は口だけだった安倍政権は、日本の長期停滞を深刻化させ、変革を進めることができなかったことをこそ、自ら総括すべきでしょう。

（同）

「法の下の平等」の危機

日本が民主国家であり、世界の多くの民主国家と「共通の価値観を共有している」ことを、安倍首相は外交の場でつねづね高らかに宣言してきました。民主国家の共通の価値観とは何か。いうまでもなく「国民主権」が国家の大原則として確立していることです。そして、それを具体的に保証するのは、国家の統治が国民による公正な選挙によって選ばれた代表者たちによって行われることです。国民の意思が選挙に正しく反映されるためには、選挙権を有する国民一人一人が「法の下の平等」を保証され、十分な情報と正しい判断力を持たなければなりません。その意味で日本国憲法第一四条「法の下の平等」と第二一条「表現の自由」は、「国民主権」実現に不可欠な国民の権利を保証している条文です。

先の衆議院選挙で自民党の公約には、この民主国家の基盤を根底から否定する項目が盛り込まれました。いわゆる「合区解消」です。これまで「一票の格差」が存在することで、国民のもっとも重要な権利である国政選挙において「法の下の平等」が侵されてきました。違憲立法審査権を有する司法は、たびたび「違憲状態」にあるとしながらも、格差解消の努力が行われていることを理由に、選挙のやり直しを命ずる違憲判断は下しませんでした。その「努力」の一つが合区の容認でした。選挙公約実現に向けて自民党が検討している「合区解消」は、「一票の格差」を固定化し、この問題に対する司法の介入を封じ込めようとするものにほかなりません。

「一票の格差」が存在するということは、一つの選挙区を除く他のすべての選挙区において、一に満たない選挙権しか与えられていないということです。「民主国家」を標榜するなら、その最も重要な基盤である選挙制度において国民の権利の平等化を追求することは国会の責務です。「法の下の平等」を平然として無視することで民主国家の基盤を損なうような議員には「自由」とか「民主」を名乗る資格はありません。

五月三日に安倍首相が読売新聞紙上で突然打ち出した憲法改正案には、この「合区解消」は含まれていませんでした。しかし、安倍首相が打って出た解散に際して作成された選挙公約の憲法改正の項目には、さりげなくこの「合区解消」が追加されました。いわばどさくさ紛れの火事場泥棒的なやり口です。自民党の基盤が人口の少ない地方に偏っているとはいえ、これほど露骨な利益誘導、党利党略を自民党議員の大多数が認めたという事実には暗然とせざるを得ません。

小池騒動に夢中になって右往左往していたマスメディアのほとんどが、この問題の重要性をまともに報道しませんでした。自らの権利の侵害を放置することが民主国家の劣化と崩壊を招くことを、国民一人一人がより深刻に認識する必要があります。

（『講演録』一二月号）

薄氷の上の「大勝」

総選挙の結果について、メディアには、「自民党圧勝」とか「自民党大勝」という言葉が溢れましたが、果たしてそうでしょうか。議席数では前回並みでしたが、比例区の得票率を見る限り、とても圧勝とか大勝と呼べる水準ではありません。これで改憲を始めとした俄か仕立ての公約のすべてがお墨付きを貰えたと考えるのはお門違いもはなはだしいでしょう。とりあえず国民は政権運営を安倍政権に委ねましたが、それは現状ではそれ以外の選択肢がなかったからです。しかもこの結果は違憲状態の一票の格差に助けられたものであることを見逃してはなりません。

（同）

二〇一八年

映画雑感 ㈧

昨年後半の邦画から。まず『ちょっと今から仕事やめてくる』。過労死の問題が一部のブラック企業でなく、日本を代表する大企業にまで及んでいたことが明らかになりました。映画では、仕事のしわ寄せを押し付けられ、追い込まれていく若者の姿がリアルで痛ましく描かれます。この映画のように「やめていいんだよ」と誰かが教えてあげていたら悲劇は防げたのにとつくづく思います。

『夜空はいつでも最高密度の青色だ』は『舟を編む』で高い評価を得た石井裕也監督が最果タヒの同名詩集にインスピレーションを得て映画化した意欲作。看護師をしながら夜はガールズバーで働く女性と、工事現場で日雇い仕事をしている青年が、偶然出会い、反発し合いながらも、やがて惹かれ合っていきます。大都会の片隅で得体の知れない不安や死と向き合ってもがきながら生きている若者たちの心情を、観客の神経を逆なでするような表現で浮かび上がらせます。

俳優の向井理が自らの祖母の残した手記の映画化を企画した『いつかまた、君と』は、戦中戦後の混乱の中で生きた夫婦の苦難の道のりと五〇年に及ぶ深い絆を淡々と描いた作品。起承転結や技巧を超越した真実が、静かに心に沁みます。

今年もたくさんの恋愛映画や青春映画を見ました。『君の膵臓をたべたい』は、恋人の突然の死によって最後の別れまでもが断ち切られてしまった青年が、過去から浮かび上がってきた恋人のメッセージによって再生していく謎解き物語にもなっており、奥行きと余韻が楽しめる作品でした。

バツイチ再婚夫婦が二人の間の子供を授かることになり、その誕生までの葛藤を描いた『幼な子われらに生まれ』。ささやかな家族の幸福が妊娠によって揺れ動き始めます。突然義理の娘とうまくいかなくなった父親のやるせなさを演ずる浅野忠信が秀逸です。

『三度目の殺人』は、何を考えているかわからない殺人犯と、彼を何とか死刑から免れさせようとする担当弁護士との虚々実々のやり取りが展開されます。得体の知れなさで観客を引き込んでいく役所広司がさすがの貫禄。

黒沢清監督の『散歩する侵略者』。侵略SF映画ですが、夫婦の愛と死を巡る普遍的なテーマと、事件記者と侵略者が乗り移った少年との奇妙な友情と派手なアクションが重層的に進行。映画の醍醐味を存分に味わわせてくれます。
芥川賞受賞作でベストラーにもなった『火花』が早くも映画化されました。お笑いの世界に青春の全てを賭け、悪戦苦闘する若き芸人たちの一〇年間を、桐谷健太と菅田将暉という人気と実力を兼ね備えた二人が見事に造形し、単なる青春物語ではなく、時代の空気と生きた人間の確かな存在感を刻印しました。

(『講演録』一月号)

ルール不在の大相撲

大相撲はもうすぐ初場所が始まります。暴行事件を相撲協会がどのように総括するのかが気になりますが、恐らく通り一遍の結論でしょう。とても白鵬の言うような「ウミを出し切る」ことにはならないでしょう。それよりも気になるのは横綱の権威の低下です。現役力士のトップに君臨する白鵬は土俵上の取り組みにおいて度々「厳重注意」を受けています。横綱としてふさわしくないという以前に危険な行為やしてはいけない審判へのクレームなど明らかなルール違反が近年目立っているのです。サッカーであれば警告が重なれば退場になるという明確なルールが確立しています。そうでなければ、違反行為はやり得と言うことになるでしょう。

（同）

三%賃上げ要請の危うさ

年が明けて今年の賃金動向を左右する「春闘」が始まる時期を捉えて、安倍首相が「三%以上の賃上げ」を企業に要請しました。政府が民間企業の経営運営に直接働きかけ、それも数値目標まで掲げるのは極めて異例の事態です。これに対して、日本経団連は一月一六日に公表した「春季労使交渉における経営側の指針」で、「社会的期待（三%）を意識しながら自社の収益に見合った前向きの検討」を促しました。労使交渉はあくまでも民間の労使が自主的に行うのが自由主義経済の原則です。労働組合の要求を先取りするかのような政府の働きかけは決して好ましいものではありません。

一方で政府は、来年度から一人当たりの年収を三%引き上げた企業の法人税を引き下げる方針を打ち出しています。賃上げを促進するために税制面での優遇を行うことは経済政策の一環として許容されるものです。企業収益が改善するなかで、賃金等の待遇改善が遅々として進まないことが、消費の停滞を招いていることは明らかです。政府は二〇三〇年までにＧＤＰを六〇〇兆円に拡大させる目標を掲げていますが、これは名目成長率三%の実現が前提となっています。これが名目賃金三%上昇を求める根拠なのかもしれませんが、いささか幼児的発想としか思えません。あらゆる価格の決定は経済の実勢に即して市場で決まるものです。そこに国家が強引に介入することは資源の効率的な配分を歪めることになりかねません。

それでは三%の賃上げが実現すれば、消費は思惑通りに上向くのでしょうか。医療費や介護費の増大を背景にして社会保険負担は毎年上昇を続けています。勤労者の可処分所得はこうした負担増によって目減りし続けています。増大する社会保障費の抜本的な改革には手を付けず、年々の負担増を当然のように国民に強いている状況を変えなくては消費性向の好転には限界があるでしょう。

ただ、政府の介入の如何に関わらず、賃金上昇の機運は高まっています。人手不足の深刻化を背景に労働需給の状況を反映する有効求人倍率は、昨年一一月に一・五六倍と一九七四年一月以来の高水準を記録しています。企業は新卒、中途を問わず、優秀な人材の確保のために労働条件の改善に取り組まなくてはならない状況に置かれているのです。

待遇改善は当然金銭面にとどまりません。労働需給の逼迫は働く側がより条件のよい職場を選ぶ時代の到来を意味しているからです。

政府の掲げる「働き方改革」も政府の掛け声如何に関わらず、着実に進んでいくでしょう。そうした状況を作り出したことこそが政策の効果なのです。しかし、人手不足が行き過ぎれば企業の海外移転に拍車がかかるリスクも増大するでしょう。

（『講演録』二月号）

非核化の幻想

冬季五輪平昌大会では、開催間近になって突然参加を表明した北朝鮮の動向が注目を集めました。参加選手が二〇人程度なのに派遣人数は応援団二三〇人を含めて五〇〇人規模になり、その派遣費用を韓国が負担することになりました。開会式には韓国と北朝鮮の選手が統一旗を掲げてともに行進するということは、もともと一つの国なのだから、費用負担も当然なのかもしれません。しかし、北朝鮮と韓国の蜜月が北朝鮮の非核化につながるという幻想は全く論外でしょう。

（同）

優生保護思想の残滓

一月末に、旧優生保護法下で不妊手術を強制された宮城県の六〇代の女性が、国に対して損害賠償を求める訴えを起こしました。一九四八年に施行された旧優生保護法は、「優生上の見地から不良な子孫の出生を防止する」ことを目的としていました。旧国民優生法改正に当たって、「母性保護」が目的に追加されましたが、「優生手術」

はむしろ強化されたのです。しかも「生殖腺を除去することなしに、生殖を不能にする手術」に限定されていたにもかかわらず、女性障害者に対する子宮摘出やレントゲン照射による断種が黙認され、本人の同意なしに行われた優生手術は一九四九～九四年の四五年間に一万六五〇〇件に及びました。

二〇世紀半ばにかけて、世界の多くの国に拡がった優生思想は、人種差別や障害者差別の反映として非難され、多くの国から姿を消していきました。一九九四年まで「優生思想」に基づく法律が存在していた国は稀有な例です。ハンセン病患者への法律適用については、小泉内閣時代に国が非を認めて謝罪しましたが、それ以外の事例については、国は責任を認めていません。

今回の訴訟が提起された宮城県の記録では、一九六三～八一年度に八五九人が手術を受け、このうち未成年者が五二％を占めています（毎日新聞一月三〇日付朝刊）。訴訟を提起した女性も一五歳の時に不妊手術を強制されています。宮城県議会では六二年一〇月に定例議会において旧社会党県議が「民族素質の劣悪化防止の立場から」優生手術の推進を訴え、これをうける形で六四～六五年の手術件数がそれまでの倍の水準に膨らみました。そもそも旧優生保護法の改正は議員立法によるもので、差別と人権侵害の温床が日本社会に広く根をおろしていたことがうかがえます。

旧優生保護法は九六年に母体保護法に改正され、「優生保護」という目的は姿を消しました。しかし、障害者への差別は過去のものではありません。障害者施設における虐待や大量殺人などは、社会に根強くはびこる差別感情の存在を象徴しています。

新たな火種も生まれています。日本産科婦人科学会は、倫理面から現在は臨床研究に限定している、妊婦の血液から胎児の病気の可能性を調べる新型出生前診断の指針を見直し、本格実施に踏み切る方針を理事会決定しました。病気の子供を産みたくないと考える親が少なからず存在することは確かです。しかし、胎児の段階であっても、すでに一つの命が胎内で誕生しているのです。その胎児が「不良」であるか否かを判断し、選別して排除する権利が、果たして親や医師にあると言えるのでしょうか。かつて日本医師会は、羊水診断により、障害を持つ胎児の早期発見と中絶合法化を提言したことがあります。胎児の人権と生命倫理に関する議論を等閑視したままで安易に医学の発展の成果のみが独り歩きする現状を憂慮すべきです。

（『講演録』三月号）

好成績産んだ勇気

平昌五輪では日本選手が予想を上回る活躍を見せ、文字通り日本中を沸かせています。強くなった選手の多くが、かつてのような根性一槍の練習ではなく、科学的な理論に基づく弱点の克服や身体能力の向上のために、世界の最も望ましい環境を探して飛び込んでいく勇気と逞しさを備えているようです。スポーツの世界も頭脳と情報なしには生きていけない時代を迎えています。

（同）

国家の土台が危うい

三月二日に朝日新聞が森友学園への国有地売却に関する決裁文書が改ざんされていたとの疑惑を報道。その後、調査を行った財務省が改ざんの事実を認め、詳細な対照表によって改ざんの内容を報告。これを巡って国会での与野党の攻防は一気に緊迫しました。

一度決裁された公文書を事後に書き換えることは絶対にあってはならないことです。一部の報道機関は「書き換え」という表現で、問題の深刻さを和らげようとしていますが、こうした姿勢そのものがこの問題に対する理解の浅薄さを如実に示しています。

二〇〇九年に国会で可決成立した「公文書等の管理に関する法律」は、第一条で、「国及び独立行政法人等の諸活動や歴史的事実の記録である公文書等が、健全な民主主義の根幹を支える国民共有の知的資源として、主権者である国民が主体的に利用し得るものであることにかんがみ」としています。国民主権を旨とする民主国家において、行政をつかさどる政府の権限は選挙を通じて国民から負託されたものです。国民は政府と行政機関がどのような仕事をしているかによって自らの負託の是非を判断するのです。公文書はその判断のためにこそ存在するのです。

公文書管理の意義を重視して法整備を推進した福田康夫元首相は、「改ざんが行われるとは全く想定外だった」と嘆いていますが、いかなる理由であれ、改ざんという行為は本来国民全体への奉仕者であるべき官僚の国民への裏切り行為にほかなりません。

国会における政府の答弁で何よりも驚かされるのは、行政機関のトップである政治家の責任感覚です。たとえ改ざんを指示せず、改ざんの事実を知らなかったとしても、最終的な責任がトップにあることは社会の常識です。「一部の職員がしたことで、責任は現場の長である局長にある」という麻生財務大臣の答弁は、かつて経営者であった人間の発言とは思えません。

本来は行政機関のガバナンスとコンプライアンスは民間よりも厳格であるべきです。それは、行政機関を監督し命令する政府の権限が国民から負託されたものであるからです。公文書改ざんに続いて明るみに出た文部科学省の名古屋市教育委員会への働きかけの問題も、行政機関のガバナンスの欠如を示すものでした。指示命令の権限のない国会議員が担当者に直接働きかけ、質問内容の添削まで行っていたにも関わらず、トップである担当大臣は、「文部科学省の主体的判断」と強弁し続けています。自らの権限を侵されたことへの認識が全く感じられません。だからこそ指示命令権限の全くない議員が働きかけを日常的に行い、とがめられると、「それでは仕事にならない」などと平然とうそぶくことになるのです。

行政機関の在り方も行政機関と政治の関係も本来の姿からかけ離れたものになりつつあります。そのことを全ての国民と全ての関係者が深刻に認識しなければ、民主国家としての日本は土台から崩れ去ることになるでしょう。

（『講演録』四月号）

民主主義の前提

習近平、プーチンなど強権的な政権の長期化が顕著になっています。トルコ、フィリピン、チェコでも、次々に強権政治が力を得ています。民主主義は選挙を通じて国民が政権を選択することが肝ですが、正しい選択をするためには、十分な情報を持ち、まっとうな物の考え方を身に着けた選挙民が必要不可欠です。自由で自立した市民が存在しなければ、民主主義は国家主義に飲み込まれてしまうでしょう。

（同）

慣例読みという迎合

前々号で「優生保護思想の残滓」という一文を書きました。この時タイトルに使った「残滓」が表現として適切かどうか、念のため辞書で確認しました。意味は問題ありませんでしたが、このことばが現在では「ざんさい」と読まれているということを知って愕然としました。もともとは「ざんし」であったものが、現在では「ざんさい」という「慣例読み」が定着しているということなのです。

確かにサンズイを取り除いたツクリは通常「さい」と読みます。しかし、かつては読み書きのテストでこの熟語が出題されたら間違いなく「ざんさい」は×を点けられたはずです。いったいいつから、そして誰が、誤用を慣例読みに昇格させてしまったのか。誤用を誤用と言わずに慣例読みとして受け入れる態度は、私には無知への迎合であるとしか思えません。

平昌冬季オリンピックでは、日本選手の活躍にメディアがおおいに盛り上がりました。特に女子スピードスケート陣の活躍はまさに特筆に値するものでした。五〇〇メートルで下馬評通りに優勝を飾った小平選手の活躍をテレビ観戦していた時に、彼女を「きゅうどうしゃ」と呼んでいるのを聞いて？　マークが頭に浮かびました。何と物を知らないことよ、と思いましたが、「残滓」事件に直面した直後だったので、念のため辞書に当たってみると、やはりというべきか、「きゅうどうしゃ」という「慣例読み」がいまや主役として鎮座していることがわかりました。もともとは「ぐどう」という仏教の言葉が語源だと書かれていました。インターネットを検索してみると、「ぐどう」は仏教用語であるから一般には「きゅうどう」と読まなくてはいけないと書いてある説明もありました。そもそも日本語にはインド仏教を語源とする表現がたくさんあります。他宗教に非寛容なあまり仏教を語源とする言葉を排撃する態度は日本文化の遺産である日本語を貶めるものだと言えるでしょう。

やはりテレビを見ていて気になる言葉に「しょくにんきしつ」があります。物を知らないタレントならともかく、れっきとしたアナウンサーがこの言葉を頻繁に口にしています。一方、「しょくにんかたぎ」はほとんど耳にしません。少し心配になったので、辞書で引いてみると「職人気質」が出てきてとりあえずホッとしました。ちなみに「しょくにんきしつ」はインターネットのコトバンクでも、「間違いやすいことば」と明記されています。この部分の出典は朝日新聞社発行の「とっさの日本語便利帳」ですから、少なくとも新聞の世界ではまだ「しょくにんかたぎ」が生きているようです。

「言葉は時代とともにかわっていくものだ」と正しい表現が間違った慣例読みにとって代わられていくことを是認する考え方が学者の間にも少なくありません。しかし、日本語はもっとも重要な文化遺産です。間違いをただしてできる限り正しく継承していく努力を怠るべきではありません。

（『講演録』五月号）

悲しむべき現実

森友・加計問題を巡る公文書改ざんや自衛隊海外派遣部隊の「日報」隠蔽問題では廃棄されたはずの文書が次々に見つかり、政府の答弁の信ぴょう性が大きく揺らぐ事態になりました。そこへ飛び込んできた財務次官のセクハラ問題は本人の全否定後に、被害女性の勤務先が事実関係確認を発表。いずれも官僚が平気で嘘をつくことを国民に知らしめました。日本の行政が社会的常識や人間性に欠ける人たちの手に委ねられていることを知るのは大変悲しいことです。

（同）

何のための働き方改革か

安倍内閣は「働き方改革は、一億総活躍社会実現に向けた最大のチャレンジ」と位置付け、「多様な働き方を可能とするとともに、中間層の厚みを増しつつ、格差の固定化を回避し、成長と分配の好循環を実現するため、働く人の立場・視点で取り組んでいきます」としています。ここに宣言されていることが、現在国会に提出されて審議されている関連法案によって本当に実現できるのでしょうか。大仰なお題目に惑わされずに一つ一つの法改正の中身を吟味することが重要です。

「働く人の視点に立った」実行計画作成のために、安倍首相自らが議長になり、労働界、産業界のトップと有識者による「働き方改革実現会議」が設置されました。「働く人の実態をもっともよく知っているメンバーの合意形成であることを誇っています。しかし、労働組合の組織率は二割程度まで低下しています。こうした代表者が非正規労働者や中小企業の未組織労働者の実態を正確に把握しているとは思えません。現場を知っているという意味では労働基準監督官の方がはるかに客観的に実情を把握しているでしょう。

厚生労働省は五月一五日に、裁量労働制に関する調査結果で異常値が見つかった問題で精査結果を公表しました。問題となった「労働時間等総合調査」は、労働基準監督官が主業務である監督業務の傍ら全国の事業所を訪問して行ったものでした。厚生労働省は「調査手法が徹底していなかった」と釈明していますが、そもそもただでさえ人手不足で監督業務が滞りがちの監督官に、最重要施策の根拠となる調査を上乗せすることが間違いです。こうした業務の押しつけはまさにブラック企業のすることです。監督官がそれをさせられるのでは洒落にもなりません。

今回は根拠となるデータに数々の疑問が指摘された結果、裁量労働制の拡大は法案から外されました。同一労働同一賃金や長時間労働是正をうたった法案そのものは、与党多数の国会で成立することになるのでしょうが、労働基準法七〇年の「歴史的大改革」を掲げたにしてはまことにお粗末な結果といえます。

労働市場改革で思い起こされるのはドイツのシュレーダー改革です。二〇〇五年に当時のシュレーダー政権は、大胆な労働市場改革と社会保障改革を柱とする構造改革を実行に移しました。痛みを伴う改革の実行でシュレーダー政権は退場することになりましたが、その成果は次のメルケル政権下でのドイツ経済の躍進をもたらしました。解雇規制を緩和し、生活保護期間を短縮する一方で、就業訓練制度を拡充する政策パッケージは、まさに労使双方が時代の変化に対応して新しい発展を享受できる社会への変革をもたらしたのです。既得権益に胡坐をかき、かくあるべき未来の体制を大胆に描くことのできない小手先の改革では、日本経済再生の役には立たないでしょう。

（『講演録』六月号）

権力に胡坐をかく人たち

大谷翔平選手の活躍は本人の意思を尊重しバックアップした監督の存在があってこそ生まれました。世界の檜舞台で成功している多くの選手の活躍は自立した前向きの姿勢から生まれています。その一方で選手を支配し、誤った指導を押し付ける古い体質の指導者も相変わらず跋扈しています。権力に胡坐をかく存在は社会の害毒であるとしか言いようがありません。

（同）

映画雑感 ㊈

二〇一八年上半期。まず新参者シリーズの完結編『祈りの幕が下りる時』。久しぶりに先輩の阿部寛とコンビを組むことになった溝端淳平の成長ぶりが嬉しい。悲劇の親子を演ずる松嶋菜々子と小日向文世の圧倒的な存在感が映画を支配しています。

『今夜、ロマンス劇場で』は、映画が娯楽の王様だった時代へのオマージュ。銀幕から飛び出してくるヒロインを綾瀬はるかがてらいなく演じて荒唐無稽な物語に引き込んでくれます。ヒロインに翻弄される誠実な若者を坂口健太郎が好演。黄金期の撮影所を垣間見るようでした。

名脇役として知られる小林稔侍の初主演映画『星めぐりの町』。昔ながらの豆腐造りにこだわる寡黙な主人公のもとに、東日本大震災で家族を失った遠縁の少年がやってきます。心を閉ざしていた少年は、やがて何も聞かずに淡々と豆腐造りに励む主人公に心を開き始めます。勝気な一人娘を壇蜜が颯爽と演じています。

『blank 13』は俳優斉藤工の長編監督デビュー作品。一三年前に失踪した父親が余命三カ月と知らされる主人公。関係が修復されないまま父親は死に、形ばかりの葬儀の場に集まった見知らぬ人たちから、思いもよらない父親の真実が語られます。捉えどころのない父親を演じるリリー・フランキー、勝手に葬儀を仕切ってしまう佐藤二郎が出色。小品ながら心に残る作品でした。

青春映画も数多く見ましたが、一つ上げるとすれば、『坂道のアポロン』でしょう。両親を事故で亡くして地方都市に住む伯母のもとにやってきた優等生と地元の不良少年がジャズを通じて心を通わせるのですが、やがて少年は姿を消してしまいます。青春の屈折を心地よいジャムセッションとともに描いて好感が持てました。

晩年の老画家の日常をつづった『モリのいる場所』。あらゆる雑念に背を向けて自然の世界に遊ぶ主人公と、飄々と夫の日常を守る妻の姿を通して現代文明の虚妄を鋭くついて見せます。山﨑努と樹木希林の自在な演技を堪能しました。

『海を駆ける』は、深田晃司監督が七年をかけて完成させた日仏インドネシア合作映画。戦争と津波の傷跡が残るインドネシアのアチェの海岸に倒れていた一人の青年。片言の日本語をしゃべることから、災害復興のNPOを営む日本人女性のところに身を寄せます。やがて青年の持つ不思議な力が波紋を広げていきます。心を揺さぶる人智を越えた不可思議な存在。

ヒューマンな作品を数多く手掛けてきた河瀬直美監督の『Vision』は、全てを説明してくれる分かりやすさに慣れた観客にはいささか歯ごたえのありすぎる作品です。主演に永瀬正敏とフランスの名優ジュリエット・ビノシュを迎え、山守の男と幻の薬草を探すフランス人女性の交流が描かれます。盲目の老婆や森に倒れていた不思議な青年など、現在と過去が複雑に交錯します。物語の展開を追うのではなく、森の様々な音に身を委ねて、謎を謎として感じ取るしかありません。

（『講演録』七月号）

会期延長の結果

国会の会期延長が与党のゴリ押しで決定して、いわゆるＩＲ法案と公職選挙法改正案が審議されています。ＩＲといえばインベスター・リレーションズのことだと思っていましたが、いつの間にか統合型リゾートが幅を利かせています。その実態はカジノ賭博を合法化する法案なのです。これまでカジノ法案と呼んでいたマスメディアまでが、いつのまにかＩＲ一色になったのは一体どういうことでしょうか。

それに参議院の合区に対する該当選挙区向けの言い訳として持ち出された選挙法改正案に至っては、党利党略そのものです。与党の良識は一体どこに行ったのでしょうか。

（同）

六六時間の空白

台風七号が九州地方に接近した七月三日以降に西日本を中心に降り続いた大雨は二〇〇人を超す死者を出すなど、未曽有の被害をもたらしました。気象庁は七月五日の午後二時に東京と大阪で大雨に関するものとしては異例の緊急記者会見を開き、「広い範囲で大雨が続いています。この状況は、八日頃にかけて続く見込みです。非常に激しい雨が断続的に数日間降り続き、記録的な大雨となるおそれがあります」と、警告を発しました。その後の経緯は、この警告の通りの事態になりました。気象庁が警戒を呼びかけた土砂崩れや河川の氾濫により、甚大な被害が発生したのです。

気象庁が最大限の強い調子で警戒を呼びかけたにも関わらず、政府が「非常災害対策本部」を立ち上げたのは気象庁の記者会見から六六時間も経ってからでした。六日には気象庁が「特別警報」を次々に発令して、早急な避難を呼びかけ、その後、各地で相次ぐ土砂崩れや河川の氾濫が報じられました。しかし、政府は死者・行方不明者の数が積み上がるまで腰を上げませんでした。

安倍政権下での「非常対策本部」は、今回の西日本豪雨を含めて四回設置されています。その中でも今回の災害の被害は「熊本地震に匹敵するもの」でした。それにも関わらず政府の対応が大きく遅れた背景には、長期政権であるが故の緊張感の欠如、気のゆるみが影響しているのではないでしょうか。

政権の「ゆるみ」を象徴する出来事が七月五日の午後八時から東京赤坂の議員会館の会議室で行われた「赤坂自民亭」と銘打たれた宴会です。もともとは、食べ物やお酒を持ち寄って月一回開かれる若手議員中心の懇親会ですが、この日はどういうわけか安倍首相が初めて出席、加えて小野寺防衛相、上川法相、吉野復興相などの閣僚、竹下総務会長、岸田政調会長などの党幹部が顔をそろえ、大いに盛り上がったのだそうです。しかもこの会合の様子を五日の夜に、西村官房副長官や片山さつき議員が写真添付でツイッターに投稿。これに対してSNS上に非難が殺到する騒ぎになりました。投稿は翌日削除されましたが、本来は被害情報を収集して非常災害対策本部の立ち上げに動くべき立場にあった西村氏のノー天気ぶりが突出しています。

遅ればせながら八日の午前八時に設置された「非常災害対策本部」の冒頭で挨拶に立った安倍首相は、「救急救助、避難は時間との戦い。引き続き全力で救急救助と避難誘導に当たってもらいたい」と述べたとか。現地では水上バイクで友人の母親の救助に向かった人がそのまま暗闇の中で一五時間も救助活動を行ったという話が報じられています。一強の上に胡坐をかき、国民への奉仕の心を失った政治家には、恥を知れと言いたいところです。

（『講演録』八月号）

豊かさの代償

記録的な大雨をもたらした西日本豪雨の後は、記録的な猛暑に見舞われています。日本人は古来災害と共に生きてきたと言って、もっともらしい教訓を垂れる人もいますが、産業革命後の地球は、化石燃料の大量消費の結果、豊かさの代償として地球温暖化という難題を抱え込むことになりました。縄文の昔には戻れませんが、文明のありようを見つめ直すことが必要です。

（同）

人権の尊重こそが基本

自民党の杉田水脈議員が「ＬＧＢＴのカップルのために税金を使うことに賛同が得られるものでしょうか。彼ら彼女らは子供を作らない、つまり生産性がないのです」と雑誌等への寄稿で発言し、物議をかもしています。

子供を産むという行為に対して「生産性」という言葉を持ち出すこと自体が極めて低レベルで論外です。しかし、それはともかくとして、民主国家を標榜する日本にとって、無視できない危うさが潜んでいることを見逃してはなりません。この考え方が、人間の優劣や存在価値を、国家への貢献の度合いによって図ろうとするものだからです。この考え方の背後には、国民は国家に奉仕するものという理念が隠されています。

民主国家の大原則は、「主権在民」であり「国民主権」です。第二次大戦後制定された日本国憲法と、明治時代に制定された大日本帝国憲法（明治憲法）との決定的な違いは、そこにあります。明治憲法においては、主権は天皇＝国家にあり、民は国家に奉仕する存在でした。軍隊は天皇の統帥権の下にあり、軍人は天皇のために死ぬことを求められていたのです。森友学園で園児たちが朗唱し、安倍首相夫人が感動した「教育勅語」は、まさにそのことを体現したものにほかなりません。

日本国憲法は天皇を象徴として政治への関与を厳しく制限し、主権が国民に存在することを規定しました。その意味では天皇を中心とする政治的秩序を意味する「国体」は、国民を主人とする民主国家に換骨奪胎されたのです。

民主国家とは国民一人一人が法の下で平等である国です。政治的決定において多数決という手段が用いられるのは、あくまでも便宜的なものであり、多数派が少数派の利益を十分に尊重することで国の秩序が保たれるのです。したがって政権を担う政府は、多数派だけの政府ではなく、少数派を含めた国民全体に奉仕する政府でなければなりません。

子供を産むか産まないか、あるいは子供を産むことのできないカップルを選択するか否かは、あくまでも国民一人一人の意志に基づく結果でしかありません。国は子供を産み育てやすい環境を整えることはできますが、そのことを国民に強制したり指導したりすることはできません。子供はもはや「天皇の赤子」ではないのです。

戦後の日本では、こうした基本理念の転換が正しく理解されないまま、産児制限と優生保護を掲げた法律が制定され、障害者を差別し、少数者の権利を踏みにじってきました。今度また国の都合で産めよ増やせよを奨励し、そこに適合しない国民を差別するような言説を容認することの危うさを、もっと深刻に受け止めるべきです。

（『講演録』九月号）

不祥事を生み出す組織

二〇二〇年のオリンピック・パラリンピックに向けて、有力種目の選手たちの活躍が連日メディアを賑わしています。その一方でスポーツ団体を巡る疑惑や不祥事も次々に浮上しています。特にレスリング協会とボクシング協会を巡る騒動は、一応公的な役割を担っているはずの組織において、いかに前近代的な運営がなされているかを白日の下にさらしました。指導者によるえこひいきや公金流用、はては協会認定用具の私的独占販売など、一般社会であれば、関係者の即時退任が当然のやりたい放題が日常茶飯事に続けられているのですからあきれてしまいます。日大アメフト部の改革も、選手たちの集会に乗り込んで恫喝を行ったコーチたちが一掃されたという報道はありません。主役であるべき現役の選手たちの意向が無視されたまま、ボス支配が続くような組織を放置する社会は、土台から腐っています。

（同）

フランスワインの思想

今から三〇年も前に現場の記者として食品を担当していた時に、初めてフランスワインに出会いました。それまで、主にモノづくりの世界を取材してきただけに、フランスのワイン造りの考え方が腑に落ちるまでにはしばらく時間が必要でした。高い技術と効率的な生産で、競争力のある優れた製品を生み出すという近代的な産業の在り方が、ワイン造りの考え方とは相容れなかったからです。

良いワインは良い葡萄からしか生まれません。葡萄栽培、収穫した葡萄の醸造、そして貯蔵など、それぞれの場面で技術は必要です。しかし、何よりも良い葡萄は太陽と大地の恵みの賜物なのです。人間のなすことは、それを良いワインに仕上げることです。ヴィンテージ（原料葡萄の収穫年）という言葉は、そのことを体現しています。気候条件に恵まれた「当たり年」の葡萄を使ったワインが高い評価を獲得することになります。

葡萄が自然の恵みであるとすれば、その葡萄が栽培された土地によって異なる特性を持つワインが生まれることになります。その栽培地の独特の環境を表すのがテロワールという言葉です。気候、土壌の質、地形、そばに生えている植物などの要素がテロワールを構成します。同一のテロワールから生まれた葡萄、そしてそれを使ったワインは、同じ特性を持つという考え方が、中世以来の永い観察と研究の成果として、フランスワインの原産地統制呼称（アペラシオン・ドリジーヌ・コントロレ＝ＡＯＣ）という認証制度を定着させることになりました。

ＡＯＣは、特定の地域で生産された原料を使い、法律で定められたルールに基づく製造過程と最終的な品質評価によって生産者に与えられます。ワインだけでなく、チーズやバターなどの農業製品に適用されています。

ＡＯＣの原点は、一五世紀にブルーチーズのロックフォールが議会の布告によって統制されたことに遡ります。一九世紀には、原料の偽装を取り締まり、原産地を保護する法律が制定されました。ワインに関しては、生産者、消費者、行政官の三者で構成される農業省管轄の組織が、ＡＯＣの認定と管理に当たっています。

ＡＯＣは一定の基準を満たしたワイン産地の生産者に与えられますが、その中でも、より優れたワインを生み出す村や畑など、より限定された地域の生産者だけが名乗ることが許されたＡＯＣもあります。

ＡＯＣは産地の偽装や品質の劣化を防ぐ消費者保護と同時に、品質とブランドの維持によって優れた生産者を保護する制度です。品質向上とブランド管理を長年にわたって積み重ねてきた結果が、農業国フランスの最大の輸出製品を支えているのです。日本が農業輸出の拡大を目指すのであれば、厳しい基準で自らを律するＡＯＣに学ぶところは多いと言えるでしょう。

（『講演録』一〇月号）

ボス支配の弊害

ここへ来て、水泳、陸上、バドミントン、テニスと、若い日本選手の活躍が目立っています。まさに二〇二〇年の東京に向けてスポーツ界は盛り上がりを見せています、と言いたいところですが、こうした選手たちの活躍を支えなければならない競技団体の不祥事が次々に明るみに出てきました。ボクシング、レスリング、体操など、パワハラ、セクハラ、公金の流用など、長年の不透明な組織運営とボス支配による組織の私物化の実態は、まさに目に余るものがあります。主役である選手が自らの環境を選択する自由が認められ、候補選手の公平な選出が担保されなければ、五輪を主宰する資格が果たしてあるのでしょうか。

（同）

データ改ざんの深層

また日本企業の品質不正問題が明るみに出ました。油圧機器メーカーのＫＹＢ（旧カヤバ工業）は一〇月一六日に、建物の免振・制振装置で性能検査記録を改ざんしていたと発表、国土交通省の認定に適合しない装置などを、全国のマンション、病院、事務所、官庁舎などに設置していました。対象の建物は、調査中の物件も含めると九八七件にのぼります。

データの改ざんが行われていたのは、免振・制振用のオイルダンパー。検査の際に国土交通省や顧客の求める基準を満たさない製品がみつかった場合には、バルブを分解して調整した後に再検査するのが正規の手順でしたが、それを行う代わりに、基準値からのずれが求められている一〇％～一五％以内に収まるように偽装していました。

偽装の理由について、検査員は「分解・調整には五時間かかる」「納期の問題があった」と説明していますが、要するに製品の品質を維持することよりも、効率的に作業を進めることを優先させたということになります。

工業製品にとって品質こそが競争力の源泉です。品質を体現するデータの改ざんは、製造業者に対する信頼を根底から失墜させる行為にほかなりません。かつての日本製品は国際市場において値段は安いが粗悪だとみなされていました。しかし、ＴＱＣの導入など、血のにじむような努力によって、日本製品は、とにかく高品質であるとの評価を確立したのです。しかし、バブル崩壊以降の日本企業は収益の向上のために効率を最優先させるあまり、品質の維持を軽視する風土を育ててしまったようです。

ＫＹＢのデータ改ざんによる品質不正は二〇〇〇年から行われており、オイルダンパーの製造が子会社のカヤバシステムマシナリー（ＫＳＭ）に移管された後も、偽装の方法が口頭で伝授されて引き継がれました。データ偽装がいかに企業風土の中に深く定着していたかがうかがえます。

不正経理が国際的に問題になり、日本においても多くの大企業の不祥事が明らかになりました。コンプライアンスの重視が叫ばれ、コーポレートガバナンスの確立が求められるようになりました。しかし、近年明らかになった神戸製鋼所、三菱マテリアル、東洋ゴム工業などの製造業の品質不正問題は、品質を担保するデータの改ざんが長期にわたって行われており、企業風土そのものが問われる根深い問題です。

「不正をしない」「嘘をつかない」「悪事を隠ぺいしない」といった、当たり前の社会の常識が抜け落ちてしまっていることは財務省をはじめとしたお役人の世界にも共通しています。こうした不正を生み出す風土の醸成は、組織と経営の在り方そのものに問題があることを示しています。企業にとって最も大切なのは、顧客からの信頼です。信頼を担保できる社内体制の確立こそが経営の責任でしょう。

（『講演録』一一月号）

米中貿易戦争の行方

米中貿易戦争について、専門家の間では、現状の実力の差から考えて、現時点では遠からず中国が屈服するだろうという見方が圧倒的でした。しかし、こうした見方は政治体制の違いを軽視しているように思われます。民主国家である米国においては、中間選挙に向けて派手なパフォーマンスを繰り広げるトランプ氏が喝采を浴びていますが、やがて必要な中国製品を高く買わされる米国の市民や企業、そして中国向けの輸出が減少する穀物や畜産業者からの批判が高まるでしょう。一方、中国は習近平氏の独裁国家です。政府批判はなかなか起こりません。米国からの輸入は他の国に代替され、そしてIT産業は膨大な国内市場を独占して一層成長するでしょう。

（同）

出版の新しい未来に向けて

まず本日の大会の開催にご尽力されたすべての関係者の方々に心より感謝を申し上げます。私は一九七一年に大学を卒業して東洋経済新報社に入社し、雑誌記者を皮切りとして出版人としての人生をスタートさせました。その後、編集者としていくつかの雑誌で編集長を務めたあと、管理職として、データベース事業に携わり、デジタルメディアの立ち上げにも関わることになりました。そして、グーテンベルクの印刷術の発明によって誕生し、市民社会の発展とともに成長を続けてきたマスメディアが、デジタル技術の発展とインターネットの普及によって大きな変革の波に飲み込まれつつあるメディアの変革期に経営の任に当たるという巡り合わせになりました。図らずも、九七年をピークにして、出版市場が縮小に向かう逆風の中で、メディアとしていかにして生きていくのかを問いつづけることが、私の最後の仕事になりました。この時に私が社内で訴え続けたのは、健全な経済社会の発展には、正しい知識と物の考え方を身につけた自立した市民の存在が不可欠であり、それを支えるメディアを目指すというものでした。どのような媒体を選択するかは、利用者が決めることであり、われわれはそれに対応しなければならない。電子雑誌や電子書籍、そしてインターネットを通じたオンラインビジネスにも積極的に展開していくことが、メディアの責任であると考えました。それは紙媒体を捨ててデジタルの世界に乗り換えていくのではなく、情報伝達の手段を拡大させるものだと考えたのです。紙媒体の地位が低下しても、必要な情報を正しく伝え、知的生産物を生み出していく出版本来の役割には何の変化もありません。われわれの後輩の方々が出版の新しい未来を力強く切り開いていくことを祈念して私の拙い謝辞とさせていただきます。

（五月全出版人大会における長寿者代表の謝辞）

二〇一九年

映画雑感 ⑩

一八年下半期に観た映画から邦画を中心に。まずカンヌ国際映画祭で最優秀作品賞を受賞した『万引き家族』。血のつながらない家族の様々な問題を撮り続けてきた是枝裕和監督が、社会や家族に見捨てられた人たちが寄り添う疑似家族を描きました。樹木希林、リリー・フランキー、安藤サクラなど芸達者な曲者たちのハーモニーが秀逸でした。

『空飛ぶタイヤ』は企業社会にはびこる不正と不条理に切り込む若手ビジネス戦士たちのドラマ。無責任で不正を平気で押し通す経営陣に、それぞれの立場から一矢報いる若手たちに留飲を下げるのも、それだけ不祥事が横行する現実があるからでしょう。

『パンク侍、斬られて候』。剣の達人ながら小狡く立ち回る主人公が、最後に思いを寄せる女性に成敗されます。主人公を演じる綾野剛がいつもながらの怪演で見せます。

『バトル・オブ・ザ・セクシーズ』は往年の名テニスプレーヤー、ビリー・ジーン・キングの苦闘を描いた伝記映画。夫がありながら同性に惹かれてしまう主人公が男性優位のテニス界に立ち向かいます。いまなお世界に根強く残る性に関する無理解を改めて考えさせてくれます。実在のテニスの女王を演じ切ったエマ・ストーンの体を張った存在感が見事です。

『世界でいちばん長い写真』は、ひょんなことから三六〇度の写真を撮影できる回転式カメラに出会った内気な少年の物語。卒業記念のイベントに全生徒を巻き込んで記念撮影を敢行します。素朴ですが映画的感興に溢れた好作品。

『カメラを止めるな!』は、たった二館から始まって口コミだけで全国的ヒットになった今年最大の話題作。奇抜な構成とほぼ無名の俳優たちの熱演には圧倒されました。

『寝ても覚めても』は、芥川賞作家・柴崎友香の同名小説を濱口竜介監督が映画化。真面目に生きていても、時に周囲に振り回されて他人を傷付けてしまう。しかし、辛くても自分の過ちをただす勇気が爽やかな後味を残します。

『響』。今年一番の怪作です。突然文壇に登場した天才少女が予測不能の振舞いで周囲を混乱させます。一見乱暴な言動が大人たちの欺瞞を叩き潰していく姿はまさに爽快そのものでした。

『日日是好日』は九月に全身癌でこの世を去った樹木希林の遺作。最後の出演作は一九年公開予定ですが、すでに立っていることも難儀な状態を微塵も感じさせない凛としたたたずまいは、まさに人生の達人のお手本です。

『止められるか、俺たちを』は、若松プロのメンバーが同プロの軌跡をたどった、故若松孝二へのオマージュ。自分たちの映画を撮るために、ピンクと反社会のレッテルを貼られながらも、しぶとくエネルギッシュに時代を駆け抜けた若者たち。若松監督の秘蔵っ子になりながらあっけない死を遂げる女性助監督を体当たりで演じた門脇麦が記憶に残る演技を見せてくれます。

（『講演録』一月号）

危機意識の欠如が蔓延

日本のキャッシュレス社会を切り開くものになるのではないかとの期待もあったペイペイですが、セキュリティコードの入力が無制限に繰り返せるところから、不正利用が横行し、結果的にキャッシュレス社会の危うさを浮き彫りにする結果になってしまいました。担当者の稚拙な言い訳から浮かび上がる危機意識の欠如はあきれ果てるしかありません。しかし、リスクを熟知していたはずのクレジット会社が、この新参者のシステムの欠陥をまるで見抜けなかったことにも驚かされます。この点に触れるメディアを目にしなかったことも残念でなりません。

（同）

日本の暗黒大陸

堺屋太一さんがおなくなりになりました。

一月に行われた財界賞の表彰式の際にインフルエンザということで欠席されましたが、まさかそのままおなくなりになるとは思いも寄りませんでした。

堺屋さんといえば、旧通商産業省（現経済産業省）の官僚時代に一九七〇年の大阪万博を提案し、プロデューサーとして成功に導いたことで知られます。官僚時代に著した近未来小説『油断！』で注目され、退官後に出版された『団塊の世代』はベストセラーになっただけでなく、その後の社会に大きな影響を与えました。

日本社会を巡る環境の変化や社会構造の問題点を的確に把握し、未来に向けた改革を行うことが今ほど重要な時代はないでしょう。経済大国に成長した日本は、それまでの社会の在り方を温存するのではなく、より合理的で効率的な社会に生まれ変わることで新たな発展の機会を獲得すべきでしたが、結局そうした転換ができませんでした。特にグローバル化が進み、ＩＴの飛躍的な発展が世界を変えていくなかで、そうした新たな発展の枠組みから取り残されていくことになりました。

堺屋さんは、こうした日本経済の停滞の原因ついて、日本社会に横たわる暗黒大陸の存在を挙げられたことがあります。かつての通商産業省の管轄下にあった製造業の多くは、世界で競争する中で鍛えられていきました。しかし、厚生労働省、農林水産省、国土交通省、文部科学省が所管する事業は、いまも世界の潮流から隔絶され、不効率で遅れた暗黒大陸として存在しているというわけです。

政府や官僚の管理下で新規参入が阻害され、市場を通じた合理的な価格形成と効率的な資源配分が行われない結果、何が起こっているのか。こうした分野では、国際的にみて割高で劣悪なサービスが横行しているにも関わらず、膨大な財政赤字を積み上げる結果になっているのです。

規制を撤廃すればすべてがうまくいくわけではありません。公平で公正な競争を通じて最適な資源配分が行われるためには、技術の発展と社会の変化に応じた新たなルールの確立が不可欠です。しかし、それは既得権益を擁護し、権力による恣意的な管理を強化するものであってはならないのです。

劣悪な労働条件と低い生産性を温存してきた暗黒大陸を既得権益と官僚支配のくびきから解き放てば、日本社会は新たな発展の機会を手にすることができるでしょう。

団塊の世代が後期高齢者の仲間に入っていくこの五年間に変化を遂げることができるかどうか。それが堺屋さんがわれわれに残した宿題です。

（『講演録』三月号）

推薦者の見識が問われる

安倍首相は口を濁していますが、トランプ氏をノーベル平和賞に推薦したのはどうやら事実のようです。なにしろ当のトランプ氏が得意満面で報告してしまったからです。とにかくご機嫌をとっておくことがこれからの外交上で重要だということは分かりますが、人を推薦するということは、その人の見識が問われる問題です。世界の良識に背を向けて自分のことしか考えない人物を持ち上げる勇気には感嘆するしかないのでしょうか。

（同）

統計不正に見る国家の危機

新年の国会は、厚生労働省の統計不正問題を巡って大荒れの展開になりました。一月の初めに、国の基幹統計の一つである毎月勤労統計調査において、二〇〇四年以降、大規模事業所の調査が不適切な方式で行われていたことが判明、過去の統計データの修正と、この統計に基づいた雇用保険の失業手当等の追加給付などが必要になりました。不利益を被った受給者の救済は当然ですが、問題はそれだけにとどまりませんでした。有識者によって行われた省内の調査が、実はほとんど身内による聞き取り調査によって行われたことが明らかになったからです。こんなことは民間ではありえない事です。しかも、その後、調査の見直しを議論する厚生労働省の有識者検討会の議事録から、今度は中規模事業所の入れ替え問題が浮上しました。これまでは二年〜五年に一度対象事業所を全て入れ替えてきましたが、二〇一五年に有識者検討会での座長の見解を無視する形で、部分入れ替え方式が採用され、これによって、政権に有利な結果を導き出すような調査方式の変更が行われたのではないか、との疑惑が持ち上がったのです。政府側からの指示の有無など、変更の意図に関する真偽はいまだやぶの中です。しかし、有識者検討会で座長がこれまで通りの方式で行うことが適当と指摘したにも関わらず、厚生労働省は賃金の落ち込みを緩和する部分入れ替え方式を強行した経緯が議事録から読み取れます。統計は政策判断や、政策の評価の基盤です。恣意的な操作が疑われること自体があってはならないことです。安倍首相は「そのような指示はしていない」と答弁していますが、官僚が政府のご意向を付度するような体制を築いてしまったのは、政権の責任であり、このこと自体が、民主国家の危機であると言えるでしょう。

平成時代の位置づけ

平成の時代が終わろうとしています。天皇陛下自身が強い希望を示されたことで、生前退位が実現し、改元と新天皇の即位が円滑に行われようとしています。生前退位へのこだわりは、平成の始まりが昭和前皇のご病気と崩御に対する様々な自粛が長期化することで国民生活に深刻な混乱と経済の沈滞をもたらしたことを平成天皇は深く憂慮されていたからではないでしょうか。それは、昭和時代の戦争やその後の災害によって失われた命への鎮魂と、残された国民の苦難に寄り添うことで、象徴天皇が存在する意味を自らの行動によって示されて来たことにつながるものと言えるでしょう。

明治以前の天皇は、権威の象徴であっても権力の中枢ではありませんでした。明治維新によって誕生した薩長を中心とする軍閥政権は、天皇の権威を自らの政権のために利用しただけでなく、軍隊を統率する権力者として統帥権を付与することで、それを実際に動かす権力を手に入れました。大日本帝国憲法は形式的には天皇が定めた欽定憲法であり、天皇の軍隊において日本人に天皇の赤子として命を捧げることを命じたのが教育勅語でした。こうした大日本帝国の構造がその後の軍部の膨張と暴走によって帝国を破滅に導いたのです。

（『自由思想』三月）

平成に先立つ昭和の時代は、軍部の膨張によって戦争と破綻に転がり落ちた二〇年間と、復興と高度経済成長によって経済大国に上り詰めた四三年間に分かれます。連合国軍の占領下で制定された日本国憲法は天皇を国民統合の象徴として位置付ける一方で、国家権力の源泉が国民の意思に拠るものであるとする国民主権の考え方で貫かれています。戦後四三年間の発展は、まさしくこの新憲法体制によって導かれたものでした。

平成の時代は戦後日本の経済発展が最後はバブルの破裂によって終焉したその後の三〇年間です。そしてそれは、東西冷戦の終結とグローバル化の時代でもありました。安全保障を全面的に米国の軍隊に依存し、経済的にも世界最大の市場である米国に依存していればよかった時代は終わったのですが、その新たな時代の設計図を明確に描くことができませんでした。

平成の日本に課せられたのは、グローバル化が進行する世界において、日本の新たな発展の基盤を再構築することでした。世界に開かれた国として、世界の発展とともに歩むためには、日本の社会をどのように見直さなければならないか。先進国で吹き荒れる排外思想と復古主義は日本においても根強く存在しています。しかし、三〇年を超える停滞の時代を克服するためには、かつての「天皇の世紀」を懐かしむのではなく、主権者である国民が自らの責任において、新しい世界に通用する社会に日本を作り変えていくしかありません。平成はそうした次の時代へ移っていくための過渡期であったと考えるべきでしょう。

（『講演録』四月号）

衆院解散への疑問再び

七月に衆参同時選挙が行われるとの観測がにわかに有力になっています。景気の先行きが不透明になり始め、消費増税の延期の是非を国民に問うことを大義名分として政権に有利な衆参同時選挙を強行するのではないかというのです。しかし、前回の衆議院解散に際しても述べたことですが、衆院解散が「首相の専権事項」だというのは、そもそも憲法の条文を政権に有利に捻じ曲げた虚構の産物です。消費増税の延期は国民による選挙によって付託された議会が粛々と議論して決めればよいのです。

（同）

柴生田 晴四（しぼうた せいし）

1948年東京都生まれ。

71年3月早稲田大学政治経済学部卒業。

71年4月東洋経済新報社入社。87年4月「会社四季報」編集長。92年1月「オール投資」編集長。95年1月第二編集局データバンク第一部長。95年12月「週刊東洋経済」編集長。97年1月第二編集局データバンク第二部長。2000年1月第二編集局次長。03年12月取締役データベース事業室長。04年12月取締役第二編集局長。05年12月常務取締役第二編集局長。06年12月代表取締役社長。12年12月相談役。

13年5月一般社団法人経済倶楽部理事長（現在に至る）。

学校法人跡見学園理事。

一般財団法人石橋湛山記念財団理事。

株式会社出版文化社監査役。

平成紙つぶて　自由と自由主義を求めて

2020年1月24日　初版第1刷発行

著　　者　柴生田 晴四

発 行 所　株式会社 出版文化社

〈東京本部〉
〒104-0033
東京都中央区新川1-8-8　アクロス新川ビル4階
TEL：03-6822-9200　FAX：03-6822-9202
E-mail：book@shuppanbunka.com
〈大阪本部〉
〒541-0056
大阪府大阪市中央区久太郎町3-4-30　船場グランドビル8階
TEL：06-4704-4700（代）　FAX：06-4704-4707
〈名古屋支社〉
〒456-0016
愛知県名古屋市熱田区五本松町7-30　熱田メディアウィング3階
TEL：052-990-9090（代）　FAX：052-683-8880

発 行 人　浅田 厚志

印刷・製本　中央精版印刷株式会社

ISBN978-4-88338-668-0　C0036